Helwig Schmidt-Glintzer

DAS ALTE CHINA

Von den Anfängen
bis zum 19. Jahrhundert

Verlag C.H.Beck

Mit 4 Karten

1. Auflage. 1995
2. Auflage. 1999
3. Auflage. 2002
4. Auflage. 2005

5. Auflage. 2008
Originalausgabe
© Verlag C. H. Beck oHG, München 1995
Gesamtherstellung: Druckerei C. H. Beck, Nördlingen
Umschlagentwurf: Uwe Göbel, München
Printed in Germany
ISBN 978 3 406 45115 7

www.beck.de

Inhalt

Vorwort 7

I. Strukturbildungen (5000–221 v. Chr.) 9
   1. Die Anfänge 9
   2. Das Zentrum der Macht und des Rituals 11
   3. China und die Welt 14
   4. Die Ausdehnung des Territoriums und die
      Beziehung zu den Nachbarn 19
   5. Der soziale Prozeß und die Periodisierungsfrage .. 22
   6. Staat und Gesellschaft 26

II. Die Begründung des Einheitsreiches
    (221 v. Chr.–220 n. Chr.) 31
    1. Aufstieg und Erfolg des Staates Qin 31
    2. Eroberungen und Reichseinigung 33
    3. Die Han-Dynastie 40
    4. Die Bewährung der Ordnungsvorstellungen und
       der Kulte des Kaiserreiches 48

III. Teilung des Reiches und Fremdvölker
     (220–589 n. Chr.) 52
     1. Rebellionen und Gefahren aus der Steppe 52
     2. Die Drei Reiche 54
     3. Selbstverwaltung und Staat: Die Durchsetzung
        einer Gesinnungsaristokratie 59
     4. Die Ausbreitung des Buddhismus 61

IV. Politische Gefolgschaft und Herrschaftssicherung
    (579–906 n. Chr.) 65
    1. Gründung und Fall der Dynastie Sui 65
    2. Machtwechsel und Konsolidierung des Reiches ... 70
    3. Das Interregnum der Kaiserin Wu und das
       „Goldene Zeitalter" 72

    4. Religiosität der Massen und die Stellung
       der Religionen 75
    5. Neue Reiche am Rande der Tang-Herrschaft 81
    6. Bürokratisierung, Regionalismus und das Ende
       der Tang-Herrschaft 85

V. Bürokratie und neuer Geist (907–1368) 92
    1. Die Fünf Dynastien im Norden und der Süden 92
    2. Reiche am Rande 95
    3. Das Song-Reich – Beginn einer neuen Zeit? 97
    4. Verlust des Nordens und Rückzug nach Süden 105
    5. Die Mongolenherrschaft 112

VI. Autokratie und Prosperität (1368–1840) 117
    1. Einigung unter der nationalen Dynastie Ming 117
    2. Ritualismus und Perfektion des Staates 120
    3. Dynastiewechsel und Fremdherrschaft 123
    4. Das 18. Jahrhundert 125
    5. Literatur und Bildung 128

Schlußwort: Das Bewußtsein von der Einheit der Kultur .. 133

Zeittafel 136

Literaturhinweise 138

Register 139

Vorwort

Seit China wieder Anschluß an die Weltgesellschaft gefunden hat und seit Chinas Wirtschaft den Welthandel und die internationalen Rohstoff- und Finanzmärkte in Atem hält, scheint nunmehr der größte Teil der ganzen Welt in einer einzigen Gegenwart angekommen zu sein. Doch wo immer man genauer hinschaut, zeigen sich auch im Hinblick auf China die Spuren der Vergangenheit: in der Taiwan-Frage, in der Tibet-Frage, in Chinas Verhältnis zu Japan, zu Rußland, zu den USA und zu Europa. Vor allem aber gewinnt China selbst ein neues Verhältnis zu seiner eigenen Vergangenheit. Während man sich lange Zeit mit Blick auf eine gänzlich neue Zukunft von der Vergangenheit abkehrte, verbindet sich ein inzwischen wieder eingekehrter Zukunftszweifel mit der Hinwendung zur Geschichte. So rückt die Geschichte, aufgrund von Ausgrabungsfunden gerade auch die Vor- und Frühgeschichte und die Geschichte der ersten Dynastien, immer stärker in das Bewußtsein der Gegenwart. Die nachwachsenden Generationen werden an die Geschichte des eigenen Landes und der eigenen Kultur in neuer Weise herangeführt. Daher ist es für den Umgang mit dem heutigen China entscheidend, ein umfassendes Bild des älteren China zu haben und auf diese Weise gesprächsfähig zu sein.

Die Kenntnis der Geschichte des alten China vor der Zeit des Opiumkrieges gehört zum notwendigen Rüstzeug für jeden, der mit China in Beziehung tritt. Die möglichen weiteren Entwicklungen und Veränderungen sind unvorhersehbar, aber die Möglichkeit, rasch auf neue Trends zu reagieren, ist vor allem demjenigen gegeben, der die vielfältigen Konstellationen in der Geschichte vor Augen hat, die bis heute im Bewußtsein der Entscheidungsträger gegenwärtig sind. Geopolitische und rein geographische Aspekte fallen hier ebenso ins Gewicht wie Fragen der Religion, der Verkehrsinfrastruktur und des Bildungs- und Erziehungswesens. Auch wenn in nahezu jeder Hinsicht das heutige China sich weit entfernt hat von der alten

Zeit, so suchen doch heutige Chinesen in vielfältiger Weise Anschluß an die Tradition.

Daß das vorliegende Buch nun in fünfter Auflage erscheint, ist nicht nur eine Bestätigung für Autor und Verlag, sondern auch Hinweis darauf, daß China inzwischen in Europa zu einer festen Größe im Denken der Menschen geworden ist, die sich mit China und seiner Kultur und damit immerhin einem Viertel der Menschheit anfreunden möchten. Denn auf nahezu allen Gebieten ist in Zukunft Kooperation geboten, im Energiesektor, in der Rohstofffrage, in Fragen der Menschenrechte. Und da ist es gut und nützlich, wenn wir über Kulturgrenzen hinaus übereinander informiert sind, über unsere gegenwärtige Lage, aber auch über unsere Geschichte, weil wir so nur uns selbst in die Lage versetzen, den Anforderungen des Tages unter Berücksichtigung unserer eigenen Lage, und das heißt auch: im Lichte der Geschichte zu entsprechen.

Helwig Schmidt-Glintzer   16. Dezember 2007

I. Strukturbildungen (5000–221 v. Chr.)

1. Die Anfänge

Die Anfänge der Geschichte Chinas liegen im dunkeln, um so mehr als die Frage, was denn „das Chinesische" konstituiere, bis heute als unbeantwortet gelten muß. So viel läßt sich jedoch sagen, daß es am Ende des zweiten und im Laufe des ersten vorchristlichen Jahrtausends zur Herausbildung eines Begriffes der Zugehörigkeit zu jener Gruppe gekommen ist, die im Gegensatz zu den „Unzivilisierten" durch bestimmte kulturelle Merkmale gekennzeichnet ist und die sich später als „Chinesisch" bezeichnete. Von woher diese Abgrenzung ihren Ausgang genommen hat, ist bis heute unklar; es spricht aber vieles dafür, daß die chinesische Kultur das Ergebnis einer Vermischung vielfältiger regionaler Teilkulturen war. Noch die Herkunft der Führer des das Reich einigenden Qin-Staates gilt ebenso als „barbarisch", wie dies für die Führungsschicht der vorhergehenden Zhou zutrifft.

Die wissenschaftliche Beschäftigung mit China knüpft an die Vorstellung einer kulturellen Identität an, auch wenn sie selbst immer wieder andere Abgrenzungsversuche unternommen hat. Hervorzuheben aber ist der Umstand, daß die wissenschaftliche Beschäftigung mit China nicht nur von der Selbstauslegung der chinesischen Geschichtsschreibung, sondern auch von den Interessenlagen der sich mit China beschäftigenden Länder sowie von deren Wissenschaftstraditionen aufs nachhaltigste beeinflußt wird. Wir sind uns daher heute viel stärker als in der Vergangenheit des Umstandes bewußt, daß unser eigenes Chinabild nicht nur von den Kenntnissen über China, sondern auch durch unsere eigenen Wahrnehmungsformen bestimmt ist. Das China der Sinologen ist – um es prägnant zu formulieren – vielfach nicht das China der Chinesen.

Heute verstehen sich die Chinesen als ein Volk mit einer sehr langen Geschichte. Für die Anfänge gibt es verschiedene Befunde: die alten Mythen, die archäologischen Fakten und die Geschichtsschreibung im engeren Sinne. Das Bild, das man sich bis vor wenigen Jahren von der Vor- und Frühgeschichte Chinas und überhaupt von der frühen Menschheitsgeschichte in Ostasien machte, hat sich aufgrund der archäologischen Funde der neuesten Zeit erheblich gewandelt. Der 1934 in Zhoukoudian geborgene, vor 500 000 bis 400 000 Jahren lebende Peking-Mensch gilt längst nicht mehr als der älteste Mensch; den im Südwesten in der Provinz Yunnan gefundenen Yuanmou-Menschen datiert man auf etwa 600 000 Jahre.

Weit stärker noch hat sich das Bild von der frühen Kulturentwicklung in den einzelnen Regionen des heutigen China durch Ausgrabungsfunde der letzten Jahre und Jahrzehnte verändert. Nach Fundorten werden einzelne Kulturen benannt, wie etwa die von Hirseanbau, Haustierhaltung und Keramikherstellung geprägten jungsteinzeitlichen Cishan- und Peiligang-Kulturen des 6. Jahrtausends v. Chr. Ein genaueres Bild können wir erst von der unweit des „Gelben Flusses" (Huanghe) gefundenen Yangshao-Kultur (ca. 5000–3000 v. Chr., Provinz Shaanxi), von der Longshan-Kultur (ca. 2400–1900 v. Chr., Provinz Shandong) und von der weiter westlich gelegenen Majiayao-Kultur (ca. 3300–2000 v. Chr., Provinzen Qinghai und Gansu) gewinnen. Während die Kulturen Nordchinas gewisse Ähnlichkeiten aufweisen, ist der Charakter der Kulturen des Südens doch sehr verschieden gewesen. So tragen die Hemudu-Kultur am Unterlauf des Yangzi (ca. 5000–3000 v. Chr.) und die Majiabang-Kultur (ca. 5000–4000 v. Chr.) sehr eigenständige Züge.

Wie sich aus der Vielzahl der stark regional geprägten Kulturen eine chinesische Kultur bildete, ist die grundlegende Frage aller Beschäftigung mit der Frühzeit der Geschichte Chinas. Auch das vorliegende Buch will eine knappe, zugegeben vorläufige Antwort auf diese Frage geben. Der Verfasser ist sich sehr wohl bewußt, daß die Frühgeschichte Chinas in den nächsten Jahren und Jahrzehnten noch mehrfach umgeschrieben werden muß, und dabei wird auch das Interesse der chinesischen Machtelite an staatlicher Einheit ebenso beteiligt sein wie die regionalen Sonderinteressen.

Das China, das wir als historisch – weil durch schriftliche

Denkmäler belegt – zu bezeichnen uns angewöhnt haben, dieser sich über Teile Nord- und Zentralchinas erstreckende Herrschaftsverband, beerbte eine lange Tradition der Herausbildung und Pflege politischer, kultureller und sozialer Einheiten. Ob die der Dynastie Shang vorangehende Dynastie erst eine spätere Erfindung war oder doch historisch ist, ist noch nicht entschieden. Die chinesische Kultur bildete sich also im späten dritten Jahrtausend v. Chr., im Übergang zur Bronzezeit. Bei dieser Feststellung wird aber leicht übersehen, daß einerseits das damalige China nur einen Teil der heutigen Ausdehnung hatte und daß sich andererseits infolge der Integration weiterer Völkerschaften und Kulturen die Eigenart der chinesischen Kultur im Laufe der Jahrhunderte ganz entscheidend veränderte. Es ist daher China zu Recht auch mit einem Chamäleon verglichen worden.

2. Das Zentrum der Macht und des Rituals

Die Naturräume

Das chinesische Reich in seiner bisher größten Ausdehnung schließt mehr als ein Dutzend Naturräume ein, von denen einige erst spät zu einem Teil des chinesischen Reiches und der chinesischen Kultur wurden und manche bis heute von einer erheblichen Zahl ihrer Bewohner nicht als Teil Chinas anerkannt werden. Dies gilt insbesondere für die Peripherie des Reiches, an erster Stelle für die Hochebene Tibets und seine Gebirgszüge (1). Im Norden schließt sich daran an das von den mächtigen Gebirgszügen des Kunlun, des Pamir und des Tianshan umschlossene Tarim-Becken von Xinjiang (Sinkiang, auch: Chinesisch-Turkestan) (2). Im Norden und Nordwesten liegen die Steppengebiete der Mongolei (3) und die Mandschurische Ebene (4), die südöstlich von Gebirgszügen abgeschlossen wird, die den Übergang zur koreanischen Halbinsel erschweren. Nordwestlich und westlich der zum Teil gebirgigen Halbinsel Shandong mit dem heiligen Berg Taishan (6) erstreckt sich die Nordchinesische Ebene (7), zu der die Provinz Hebei,

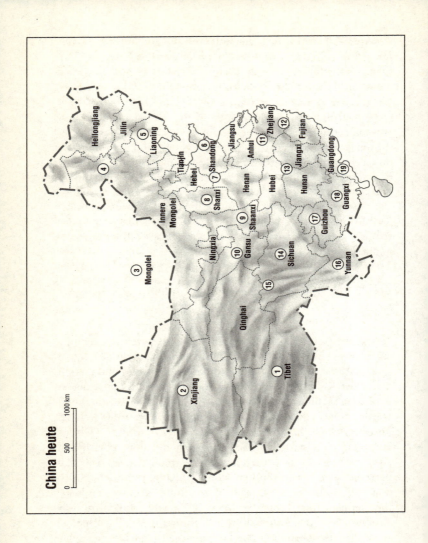

das westliche Shandong, ein Großteil Henans und das nördliche Anhui gehören. Die Ebene wird nordwestlich von dem bergigen Shanxi-Plateau begrenzt (8) und verläuft sich nach Westen hin ins Shaanxi-Becken (9) mit dem Wei-Fluß und der Ostbiegung des Gelben Flusses, wo sich bis zum Ende des ersten nachchristlichen Jahrtausends die wichtigsten Hauptstädte befanden. Nach Westen und dann nach Nordwesten zieht sich der Gansu-Korridor (10) am Fuße des Qinghai-Massivs bis in die Oasengebiete der östlichen Seidenstraße. Gegenüber diesen nördlichen und westlichen Teilen Chinas sind der Süden, Südwesten und Südosten des Reiches nicht nur durch ein milderes, in Südchina dann subtropisches Klima geprägt. Dieser Teil ist auch kulturgeschichtlich eine Zone eigenen Charakters, dessen Sinisierung relativ spät erfolgte und wo sich in vorgeschichtlicher Zeit möglicherweise ganz andere Kulturen fanden, deren Verwandtschaft mit Kulturen Ozeaniens bisher allerdings nur eine Hypothese ist. Das Untere Yangzi-Tal (11) wird nach Südosten von den bergigen Küstengebieten Zhejiangs und Fujians (12) begrenzt, die zusammen mit den schmalen Küstenstreifen einerseits und den inländischen Flußsystemen andererseits die Grundlage für eine wirtschaftliche und soziale Vielfalt boten, die mit dazu beitrug, daß insbesondere seit dem ausgehenden ersten Jahrtausend dieser Region eine wachsende Bedeutung zukam. Die Mittlere Yangzi-Ebene (13) erstreckt sich über die Provinzen Hubei, Hunan, Jiangxi und Teile des südlichen Anhui. Weiter westlich öffnet sich hinter den engen Yangzi-Schluchten das wegen seines Bodens so genannte „Rote Becken" in der Provinz Sichuan (14), das im Westen an Tibet grenzt. Das aus den dortigen sino-tibetischen Grenzgebirgen (15) stammende Niederschlagswasser zerklüftet das südwestlich gelegene gebirgige Yunnan (16), das ostwärts in die Hochebene von Guizhou (17) und schließlich nach Guangxi (18) und Guangdong (19) ausläuft.

Mit der Verlegung der Hauptstadt des Staates Qin nach Xianyang im Jahre 350 v. Chr. wurde jenes Gebiet zum Zentrum des Staates Qin und im Jahre 221 v. Chr. dann zum Mittelpunkt des ersten geeinten chinesischen Reiches, das seither mit dem als „Gebiet innerhalb der Pässe" (*Guanzhong*) bezeichneten Wei-Tal und der „Zentralebene" (*Zhongyuan*), d.h. den Überflutungsgebieten der heutigen Provinzen Henan, Hebei und Shanxi am Mittellauf des Huanghe, als die „Wiege der chinesischen Kultur" gilt. Die Ausgangsbedingungen dieses das Reich einigenden Staates Qin waren einerseits ebenso wie jene der die Shang-Dynastie seinerzeit erobernden Zhou geprägt von den nordwestlich vom Wei-Tal gelegenen Kontaktzonen zu den damals noch teilweise bewaldeten Gebieten des Ordos-Bogens und der daran anschließenden Wüstenzonen. Andererseits findet sich das, was bereits im frühen ersten vorchristlichen Jahrtausend als chinesische Kultur in Erscheinung tritt, auch in verschiedenen Gegenden des chinesischen Raumes und nicht allein in der sogenannten „Zentralebene" am Mittellauf des Huanghe und im Wei-Tal. Daher ist die Zentralebene statt als „Wiege" der chinesischen Kultur treffender als Zentrum der Macht und des Rituals, in der die chinesische Kultur und die auf territoriale Einheit ausgerichtete Staatsbildung ihre Manifestation erfahren, zu bezeichnen.

Die naturräumliche Ausstattung des chinesischen Geschichtsraumes war klimatisch und bezüglich der Vegetation von den heutigen Verhältnissen verschieden und auch im Laufe der Jahrhunderte einem erheblichen Wandel unterworfen. In diesem Zusammenhang muß auch die mehrfache Verlagerung des Unterlaufs des Gelben Flusses (Huanghe) gesehen werden, wie überhaupt Naturkatastrophen, insbesondere Dürreperioden und Überschwemmungen, wohl eine größere Rolle gespielt haben als Klimaschwankungen, von denen wir auch bislang nur ungenaue Kenntnisse haben.

3. China und die Welt

Kosmogonie, Kosmologie und Astronomie

Wie in allen Kulturen, so besteht auch in China eine enge Beziehung zwischen Vorstellungen von der Weltentstehung und dem Weltbild, zwischen Kosmogonie und Kosmologie. Diese

Vorstellungen haben trotz ihrer Fiktionalität in den Augen des heutigen Betrachters eine prägende Rolle gespielt und sind selbst zu Gestaltungselementen der Geschichte geworden. Verschiedene Vorstellungen von der Entstehung der Welt und ihrer Gestalt sind bereits in der Jungsteinzeit, d.h. seit dem 5. Jahrtausend v. Chr., in China ineinandergeflossen und haben sich dann im Laufe der Zeit weiter verändert. Allerdings ist das Zusammenspiel einzelner Lokalkulturen auf dem Gebiet des späteren Reiches heute kaum mehr zu rekonstruieren. Die Hinweise auf einen Welterschaffungsmythos sind gerade in China – vermutlich auch infolge systematischer Unterdrückung durch die konfuzianische Überlieferung, die sich der „Schattenseiten" ihrer Kultur gleichwohl stets bewußt blieb – ohnehin spärlich, und vorhandene Texte sind erst durch spätere Redaktionen überliefert. Eindeutig als solche zu bezeichnende Schöpfungsmythen finden sich erst seit der Zeit des 3. Jahrhunderts v. Chr., etwa der Welteimythos, wonach die kosmische Schöpfergestalt Pangu aus einem Ei hervorgegangen und Himmel und Erde sich anschließend voneinander entfernt hätten.

In der Kultur der Shang-Zeit wurde die Welt als rechteckig vorgestellt. Alle vier Seiten hatten ihre Farbe und ihre Gottheiten. Über den vier Richtungsgottheiten und den Gottheiten von Sonne, Mond und Erde, von Bergen, Wolken, Flüssen und anderen Naturerscheinungen stand Shangdi, eine oberste Gottheit, die ihrerseits einem Hofstaat mit fünf Ministern vorstand. Obwohl Shangdi als allmächtig galt, hatte er doch keinen festen Platz und empfing keine Opfer. Die Ahnen des Königshauses waren in ständigem Kontakt mit den Gottheiten, vor allem mit Shangdi, und die Lebenden nahmen ihrerseits über die Betrachtung von Knochen und Schulterblättern, durch Orakelschau also, Kontakt mit den Ahnen in der anderen Welt auf.

Das Wissen um den Lauf und die Konstellationen der Gestirne war für das Weltbild im alten China von zentraler Bedeutung. Deshalb auch war Astronomie keine Privatangelegenheit einzelner Gelehrter, sondern Angelegenheit des Herrschers und seiner Umgebung. Die Erstellung des Kalenders und die Aufzeichnung der Worte und Taten das Herrschers, eine Tätigkeit, die später im Geschichtsamt mündete, war anfangs der Obhut der Astronomen anvertraut. Nicht zuletzt wegen ihrer zentralen politischen Rolle sind die astronomischen Aufzeichnungen der Chinesen, insbesondere die Beobachtung „neuer Sterne" betreffend, bis ins 10. Jahrhundert die genauesten und zum Teil die einzigen überlieferten derartigen Aufzeichnungen überhaupt.

Die Trennung von Himmel und Erde

Die seit der Unterwerfung der Dynastie Shang und der Übernahme der Vorherrschaft durch die Zhou (11. Jh.–256 v. Chr.) zunehmend thematisierte Trennung zwischen der Welt der Götter einerseits und der Welt der Ahnen und der Menschen andererseits bestimmt in der späteren politisch-philosophischen Literatur den Grundtenor der Reflexionen. Die älteste belegte räumliche Vorstellung von der Erde findet sich im Kapitel „Die unter dem Großen Yu festgelegten Abgaben [für einzelne Regionen]" (*Yugong*) (5. Jh. v. Chr.) im „Buch der Urkunden" (*Shujing*). Diese Darstellung des chinesischen Reiches trug wesentlich dazu bei, die bereits länger bestehende Ansicht zu zementieren, daß das Herrschaftsgebiet des chinesischen Kaisers „alles unter dem Himmel", eine von Barbaren und den Vier Meeren umgebene Insel sei. Damit verbunden war eine Vorstellung von konzentrisch angeordneten Bereichen, in deren Mitte sich der Bereich des chinesischen Herrschers als Zentrum der Zivilisation befand, deren Wirkung sich nach außen abschwächte und an deren äußersten Rändern nur noch Barbarei vermutet wurde. Die Wirkung dieser Vorstellung war nachhaltig, und eigentlich bis ins 19. Jahrhundert wurde neben dem vagen Wissen von fernen Kontinenten und Reichen die Ökumene, „alles unter dem Himmel" (*tianxia*), als ein um ein Zentrum geordneter und von Meeren umgrenzter Kulturraum mit barbarischen Rändern vorgestellt.

Es gibt eine Vielzahl von Texten, die sich mit der näheren und der weiteren Umgebung beschäftigten, ganz zu schweigen von dem umfangreichen Wissen über die Gestirne und ihren

Lauf, und nur alle diese Texte zusammengenommen zeigen das Weltbild, wie es sich die Chinesen vorstellten bzw. wie sie es kannten. Ausdruck der kulturellen Besonderheit Chinas ist auch die Art der Kategorisierung und der Zuordnung des Wissens über die Welt. So gibt es eine „Illustrationen über Tribute bringende Völker" (*Zhigongtu*) betitelte Werktradition, die seit dem 6. Jahrhundert belegt ist, und in dem „Honglu" bezeichneten Amt für ausländische Delegationen wurden Informationen über die Herkunftsländer gesammelt, wobei freilich auch außenpolitische und insbesondere militärische Interessen mit im Spiele waren. Die immer weiter zunehmende Literatur über fremde Länder war zwar zunächst nicht auf dem Niveau eines Herodot oder Strabo, doch während in Europa das geographische Wissen zwischen dem 3. und dem 13. Jahrhundert wieder abnahm, nahmen die Kenntnisse in China im gleichen Zeitraum stetig zu. Freilich gerieten, vor allem seit dem 14. Jahrhundert, auch dort manche gewonnenen Erkenntnisse wieder in Vergessenheit; dies gilt insbesondere für bestimmte astronomische Beobachtungen und Berechnungsformen, die später nicht mehr richtig verstanden wurden. Daneben blieben, trotz der zunehmenden geographischen Kenntnisse, religiöse Weltvorstellungen wirksam, wie jene buddhistisch geprägte Kosmographie mit dem Berg Sumeru bzw. dem Kunlun-Gebirge im Zentrum.

Frühe Kartographie und die Kenntnis der Welt

Die enge Beziehung zwischen der Kartographie und dem zentralen Herrschaftsanspruch des im Jahre 221 v. Chr. durch den Teilstaat Qin geeinten Reiches kommt darin zum Ausdruck, daß der Gründungsherrscher, Qin Shihuangdi, alle verfügbaren Karten des Territoriums sammelte. Und nur im Zusammenhang imperialer Macht ist der Gedanke zu verstehen, bei der Ökumene handele es sich um einen Wagen mit der rechteckigen Erde als Rumpf und dem runden Himmel als neunstufigem, von acht Säulen getragenem Wagendach, was in dem Ausdruck für „Reichskarten" (*yuditu*, wörtl.: „Wagen-Land-

Karten") Ende des 2. Jahrhunderts v. Chr. seinen Ausdruck findet. Doch erst zwei Jahrhunderte später, nachdem die Erstellung von Reichskarten schon zu einer Selbstverständlichkeit geworden war, wird von Zhang Heng (78–139 n. Chr.) bei der kartographischen Darstellung ein Koordinatensystem eingeführt. Hieran wird deutlich, daß in China wie im Griechenland des klassischen Altertums die Darstellung der Himmelskörper und der Erde stets eng aufeinander bezogen war.

Als der eigentliche Begründer einer systematischen Kartographie in China gilt der von manchen mit Ptolemäus verglichene Astronom und Geograph Pei Xiu (224–271 n. Chr.), von dem im Kapitel 35 der „Geschichte der Jin-Dynastie" (*Jinshu*) ein längerer Traktat mit sechs Grundsätzen zur Kartographie überliefert ist, der Aufschluß gibt über seine Methode. Den Ausführungen Pei Xius, dessen aus 18 Blättern bestehender Atlas möglicherweise der erste Atlas überhaupt gewesen ist, entnehmen wir, daß er sich allen wesentlichen Problemen der Kartographie gestellt hat, unter anderem dem Problem der Darstellung von Unebenheiten der Erdoberfläche unter Berücksichtigung der Distanzen. Er war es auch, der als erster eine Gesamtkarte für China in einem einheitlichen Maßstab anfertigte. Dies geschah bemerkenswerterweise in einer Zeit, in der China politisch zersplittert war.

Zur Erweiterung des Weltbildes hatte bereits seit dem 2. Jahrhundert n. Chr. das Eindringen des Buddhismus und die folgende Suche nach neuen Schriften im Westen beigetragen. Dieser durch zahlreiche Pilgerreiseberichte geförderten Ausdehnung der Horizonte entsprach eine Erweiterung der Vorstellung von fernen Glücksräumen, die nicht unwesentlich die Utopiebildungen in China prägten. Nach der Tang-Zeit (618–907 n. Chr.), die insbesondere in ihrer frühen Phase eine große Weltoffenheit kannte, beschäftigte man sich in den folgenden Jahrhunderten wieder stärker mit China selbst. Erst das 13. Jahrhundert brachte, als Folge der mongolischen Eroberung Chinas und insofern erzwungenermaßen, wieder eine Öffnung der Horizonte.

Wichtiger aber noch als die Kenntnis der näheren und ferneren Randgebiete war seit der Frühzeit in China die Kenntnis und die kartographische Erfassung des eigenen Territoriums. Daraus erklärt sich die große Zahl von Beschreibungen der Verwaltungsgrenzen, der Wasserwege des Binnenlandes, der Handelswege, der Küstenabschnitte sowie, insbesondere seit der Song-Zeit (960–1279 n. Chr.), von Regionalbeschreibungen (*fangzhi*), in denen auch wirtschaftliche Aspekte berücksichtigt wurden. Nicht zufällig interessierte man sich seit jener Zeit in besonderem Maße für Fragen der historischen Geographie und fertigte Geschichtsatlanten.

Infolge des vermehrten Kontaktes mit Vertretern islamischer Kulturen des Westens und durch die nach China gelangenden Kenntnisse persischer und arabischer Gelehrter erreichte die Kartographie zur Song-Zeit und unter der Mongolenherrschaft in China einen Höhepunkt.

4. Die Ausdehnung des Territoriums und die Beziehung zu den Nachbarn

Ausbildung eines Staatsgebiets

Die Ausbildung eines fest umgrenzten Staatsgebietes im alten China geschah allmählich. Im Zentrum standen der Königsklan und die Regelung der Beziehungen zwischen einzelnen Klan-Linien. Dies führte früh zu einem Supremat des Religiös-Rituellen gegenüber der Frage der Sicherung eines Territoriums. Die Ausbildung von Gebietsansprüchen mit festen Außengrenzen geschah erst in der Zeit des Zerfalls der Zhou-Dynastie, als einzelne Teilstaaten sich gegeneinander durch Wälle und Verteidigungslinien abgrenzten. Teile dieser Wälle gingen dann unter der Vorherrschaft des Staates Qin und nach der Reichseinigung durch diesen Staat in die „Große Mauer" ein.

Trotz der Gleichsetzung von Kulturwelt und chinesischem Reich hat das chinesische Reich in der Praxis doch nach außen hin durchaus gleichrangige Vertragspartner akzeptiert. Nach innen aber sollte sich der Umstand, daß Staatlichkeit „von Anfang eine Sache der Lehen" war (Herbert Franke), als höchst folgenreich erweisen. Denn dies begünstigte die Bildung der

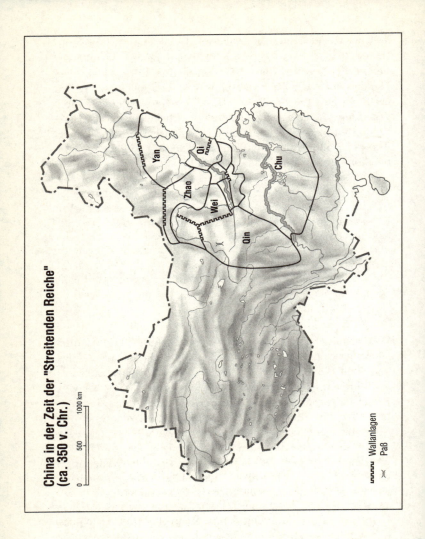

Teilstaaten und den Zusammenbruch der Han-Dynastie und damit die schrittweise Ausdehnung des chinesischen Kulturraumes. Zwar erweiterte sich der Staatsbegriff, doch blieb Staatlichkeit an eine Person, den Herrscher nämlich, gebunden, während die institutionelle Seite der Beamtenschaft oblag. Um einen abstrakteren, für die chinesische Nation geeigneteren Staatsbegriff drehten sich daher die gedanklichen Bemühungen unter den politischen Denkern Chinas seit dem späten 19. Jahrhundert.

Außenbeziehungen und die „Große Mauer"

Die Pflege von Außenbeziehungen und Diplomatie waren nur die Kehrseite des Abgrenzungsbedürfnisses, das in der Teilstaatenepoche insbesondere in den Grenzstaaten gegen die Barbaren zu starkem Patriotismus geführt hatte. Äußeres Zeichen der Abgrenzung untereinander und gegen die nördlichen Steppenzonen waren häufig Wälle aus Lehm, Vorformen der späteren „Großen Mauer", die zum Teil von dem Staat Qin nach der Reichseinigung zum Bau eines Gesamtsystems von Abgrenzungswällen verwendet wurden. In jedem Falle spielte die Große Mauer als zumindest symbolische Grenze eine wichtige Rolle und kennzeichnet die Zone des kriegerischen oder friedlichen Kontaktes mit der zumeist nomadischen Bevölkerung am Rande der Ackerbauzone. Eine wirkliche Bedeutung erlangte die Große Mauer allerdings erst durch den Ausbau während der Dynastie Ming, als sich die Chinesen verstärkt von der Außenwelt absetzen wollten. Und als Grenzbefestigung wurde mit der Mauer vielleicht sogar schließlich das Gegenteil von dem erreicht, was man beabsichtigte: Sie wirkte als Provokation für die nomadischen Völker, die auf einen Austausch mit einer Ackerbaugesellschaft angewiesen waren.

Im Zuge der Begegnung der Steppenvölker mit der chinesischen Zivilisation kam es zu Übernahmen von Institutionen und Gebräuchen, so daß auch der Prozeß der Staatenbildung bei diesen Völkern als durch das chinesische Vorbild angeregt gelten kann, was so weit ging, daß es während der Einigungskriege, in denen die fremden Dynastien zerschlagen wurden, nicht selten auch zu einer Einigung innerhalb der Steppe kam. Ob sich indes auch fremde Einflüsse auf die chinesische Staatsbildung auswirkten, ist unklar, aber nicht unwahrscheinlich.

Neben den Kontakten an den Nordgrenzen und den Auseinandersetzungen mit nichtchinesischen Völkerschaften im Süden wurden bereits früh Außenbeziehungen gepflegt, die vermutlich bis in fernere Länder reichten. Über transkontinentale Beziehungen Chinas wissen wir Genaueres erst seit der Han-Zeit, insbesondere seit der Herrschaftszeit Han Wudis (reg. 141–86 v. Chr.), der nicht zuletzt auch aus Prestigegründen das Reich in den Gansu-Korridor ausdehnte und damit die von Ferdinand Freiherr von Richthofen, dem 1905 verstorbenen bedeutenden Geographen und Forschungsreisenden, als „Seidenstraße" bezeichneten Handelswege um die Taklamakan-Wüste unter chinesische Kontrolle brachte. Auf diesem Wege kamen zahlreiche bis dahin unbekannte Güter und Informationen nach China. Dabei spielten in erster Linie die iranischen Völker die Rolle der Vermittler zwischen Ost und West. Durch die über die internationalen Handelswege nach China gelangenden fremdländischen Händler wurde das Bild des Ausländers nachhaltig geprägt, das dann auch in den bildenden Künsten seinen Niederschlag fand. Im Zuge der Begegnung mit Ausländern und vor allem bei diplomatischen Kontakten entstand die Notwendigkeit, die sprachliche Verständigung zu organisieren. Die Bemühungen in diese Richtung mündeten während der Früheren Han in die Einrichtung eines Dolmetscher- und Übersetzungamtes, das zum Vorbild für spätere Übersetzungbüros wurde, wie sie dann im Zusammenhang der Übernahme des Buddhismus in China florierten.

5. Der soziale Prozeß und die Periodisierungsfrage

Legitimation der Zhou-Herrschaft

Auch wenn im Konfuzianismus eine Art religiöser Monarchismus angestrebt worden sein mag, so nahm er seinen Ausgangspunkt doch höchstwahrscheinlich in der Sphäre der Lehensfürsten und ihrer Ahnentempel, aus einer Abwehrhaltung gegen den Herrschaftsanspruch des Zhou-Königs, der sich auf die gelegentlich als Schamanen bezeichneten *wu*-Zauberpriester und deren Zauberpraktiken und Magie stützte. Eine Opposition gegen den *Wuismus* ist bereits zur Zeit des Zhou-Königs Li (reg. 878–828 v. Chr.) nachweisbar. Dieser nahm einen *Wu* in Dienst, um alle Kritiker seiner Regierung herauszufinden und schärfstens zu bestrafen. Es heißt, die Bespitzelung sei so wirksam gewesen, „daß die Leute in der Königsdomäne überhaupt nicht mehr miteinander zu reden wagten und sich auf den Straßen durch Blicke verständigten". Ein anderer Fall soll sich unter dem Zhou-König Ling (reg. 571–545 v. Chr.) zugetragen haben. Dieser habe einen Zauberpraktiker angestellt, um die Lehensfürsten zu zwingen, wieder in die Morgenaudienzen zu kommen. Der Zauberpraktiker schoß mit Pfeilen auf einen Fuchskopf, der die Abwesenden unter den Fürsten repräsentierte. Der Adel hatte also hinreichend Grund, den Praktiken der *Wu*-Religion mit Abneigung zu begegnen und damit zugleich den vielgestaltigen und überaus häufigen Verkehr zwischen Menschen und Göttern abzulehnen. Die Götter und Geister solle man wohl respektieren, sie aber in Distanz halten, heißt es in den „Gesprächen des Konfuzius" (*Lunyu* 6.20).

Ein weiterer Grund für den Abstieg der *Wu*-Religion lag in dem zunehmenden Rationalismus, der sich beispielsweise darin Ausdruck verschaffte, daß man das *do-ut-des*-Prinzip nicht mehr gewährleistet sah. So wird im klassischen „Buch der Lieder" (*Shijing*) Klage darüber geführt, daß man nicht gegeizt habe mit dem Darbringen von Tieren und Kleinodien und die furchtbare Dürre dennoch nicht aufhöre. Zugleich setzten Diskussionen darüber ein, welchem von beiden der Vorzug zu geben sei, dem Dienst an den Göttern oder der Fürsorge für das notleidende Volk. Eine Folge dieses frühen Rationalismus war, daß der Mensch vor den Göttern eingestuft wurde, so daß mithin in China niemals eine Ansicht aufkam, nach der die Menschheit von einem Gott gewissermaßen zu dessen Selbstverherrlichung geschaffen sei, d.h. keinen wichtigeren Daseinszweck habe, als ihm zu dienen und ihn zu verehren.

Die Konzentration auf den „Himmel" (*tian*) und das „himmlische Mandat" (*tianming*) bewirkte, daß in den von der frühen konfuzianischen Schule beherrschten Kreisen der Glaube an Geister und Kleingötter aller Art abnahm. Dagegen ging der Philosoph Mo Di (468-376) an. Bereits aus dem Geschichtswerk *Zuozhuan*, Jahr 711 v. Chr., ergibt sich, daß die außermenschlichen Wesen als eine Art Geheimpolizei funktionierten, deren Berichte an den Himmel dessen Strafaktionen in Form von Katastrophen in Bewegung setzten. Wie wir wissen, konnte sich Mo Di offiziell jedoch nicht durchsetzen, wenngleich die Vorstellung von der Kontrolle und Bestrafung durch Geister bis in unsere Tage erhalten geblieben ist. Dies zeigt sich allein schon an den zahlreichen aus allen Zeiten überlieferten Schriften gegen den Geisterglauben.

Bäuerlicher Landbesitz

Während der ersten Jahrhunderte der Zhou-Zeit war die Bindung einzelner Bauernfamilien an ein bestimmtes Land vorherrschend; einen Teil ihrer Arbeitskraft hatten sie auf den Feldern ihres Lehensherrn einzubringen. Seit 594 v. Chr. aber wurde, zunächst im Staate Lu, dann in anderen Staaten, als neue Form der Steuererhebung die Naturalabgabe eingeführt. In manchen Fällen gingen diese Abgaben unmittelbar an die Zentrale, unter Umgehung der lokalen Machthaber, wodurch sich die Bindung an diese lockerte. Die Entwicklung zur unmittelbaren Unterstellung unter den König wurde durch Landerschließungen beschleunigt. Durch die neue Teilabhängigkeit der Bauern scheint deren Produktivität gesteigert worden zu sein; zugleich aber wurde der Landverkauf erleichtert, so daß sich zunehmend Großgrundbesitz bildete.

Von Feudalismus kann seit den zentralistischen Tendenzen in den Teilstaaten des 4. und 3. Jahrhunderts v. Chr., insbesondere seit der Reichseinigung unter Qin Shihuangdi, nicht mehr die Rede sein. Eher wird man von zentralstaatlicher Bürokratie sprechen müssen, in der immer aber auch partikulare Interessen, vor allem der landbesitzenden Aristokratie, eine wichtige Rolle spielten. Es hat auch zu späteren Zeiten Fürsprecher für eine Rücknahme der tendenziell auf gleiche Landzuweisung gerichteten Bodenpolitik der zentralstaatlichen Bürokratie gegeben. Die Erfolge solcher Fürsprecher und vor allem die mangelnde staatliche Durchsetzungsfähigkeit gegen Landakkumulation einzelner Großgrundbesitzer haben immer wieder die alten Debatten neu belebt, zugleich aber auch Reformbefürworter auf den Plan gerufen. Im Laufe der Han-Zeit konzentrierte sich der Landbesitz in den Händen weniger. In der Folgezeit wurden von nahezu allen Dynastien Versuche unternommen, der Tendenz zur Landkonzentration Einhalt zu gebieten oder diese rückgängig zu machen. Obwohl es Sklaverei gab, war diese zu keiner Zeit bestimmend, so daß von einer Sklavenhaltergesellschaft nicht die Rede sein kann. Im übrigen war die größere Zahl der Sklaven Staatssklaven, und das Halten von Privatsklaven war erheblichen Einschränkungen unterworfen. Entscheidend aber war, daß die Versorgung von Sklaven aufwendiger war als die Zuteilung oder Verpachtung von Land.

Die chinesischen Historiker der letzten Jahrzehnte haben eine Vielzahl von Periodisierungen vorgenommen. Jede Entscheidung für die eine oder die andere Periodenbezeichnung ist zugleich auch eine Qualifikation. Unter Heranziehung allgemeiner Kriterien wie z.B. Stadtentwicklung, Rationalität der Verwaltung, Beherrschung von Techniken, wird man das Altertum und die klassische Periode mit der Han-Zeit enden lassen. Darauf folgt eine geistige und kulturelle, insbesondere literarische und religiöse Blütezeit, die zugleich eine Zeit politischer Zersplitterung war und die als Zeit des Mittelalters gelten kann, das mit dem 10., 11. oder 12. Jahrhundert, dem Einsetzen einer Frühen Neuzeit, andere sprechen von der Späten Kaiserzeit, endet.

Demographie

Über die Bevölkerungszahlen der frühen Zeit lassen sich nur Vermutungen anstellen. Auch die Interpretation der Ergebnisse der regelmäßigen Bevölkerungszählungen seit dem Jahre 2 n. Chr. steht vor der Schwierigkeit, daß nicht Personen, sondern Haushalte gezählt wurden. Man wird aber von einer relativ konstanten Bevölkerungszahl zwischen 50 und 60 Millionen bis ins 7. Jahrhundert ausgehen dürfen. Wanderungsbewegungen und zunehmende Prosperität mit allmählicher Städte- und Märktebildung, die im 12. und frühen 13. Jahrhundert im Süden ihren Höhepunkt finden sollte, lassen eine Steigerung der Gesamtbevölkerung Chinas bis auf 100 Millionen im 12. Jahrhundert als wahrscheinlich erscheinen. Mit dieser Entwicklung einher ging eine Verlagerung des Bevölkerungsschwerpunktes von Norden nach Süden, in das Gebiet am Unter- und Mittellauf des Yangzi sowie in die südöstliche Küstenregion. Neben den unsicheren, lückenhaften und stark schwankenden Zensuszahlen sind auch die Daten über den Umfang des bebaubaren Ackerlandes ungenau, so daß Relationen zwischen Bevölkerungszahl und Nahrungsmittelversorgung nur schwer herzustellen sind.

6. Staat und Gesellschaft

Die Staatlichkeit, wie sie uns in der früh aufkommenden Geschichtsschreibung geschildert wird, ist geprägt von dem Interesse der Geschichtsschreiber und ihrer Auftraggeber. Der Anfang staatlicher Entwicklung in China liegt in den Städten als den Kult- bzw. Ritual- und Herrschaftszentren der führenden Klane. Nach der Unterwerfung der Shang durch die Zhou, die wohl eher um 1045 und nicht, wie lange angenommen wurde, bereits 1122 v. Chr. stattfand, belehnten die Zhou die Mitglieder ihres Klans bzw. enge Verbündete, aber auch Nachkommen des früheren Herrscherhauses der Shang sowie einzelne lokale Machthaber. So zerfiel das chinesische Territorium in eine Vielzahl kleinerer politischer Einheiten. In der auf die Periode der Westlichen Zhou („Westlich" wegen der Lage der Hauptstadt) folgenden sog. Frühlings- und Herbst-Periode (722–481 v. Chr.) dürften mehr als 170 Staaten existiert haben. Zu Beginn der Periode der Streitenden Reiche, nach der auch das Werk *Zhanguoce* („Pläne der Streitenden Reiche") benannt wurde (die Zeit zwischen 403 und 221 v. Chr.), gab es außer dem Zhou-Staat nur noch sieben größere Staaten. Mit der Expansion eines dieser Staaten, des Staates Qin, und der Errichtung seiner Vorherrschaft und der Unterwerfung der anderen Teilstaaten endet das Chinesische Altertum, und es beginnt eine lange Zeit staatlich gesellschaftlicher Gestaltung, die Stefan Balázs als „bürokratischen Staatszentralismus" bezeichnet hat.

Das Fehlen starker regionaler Machthaber bedeutete, worauf bereits ein Berater den Ersten Kaiser bei jener Besprechung, die dann in der legendären Bücherverbrennung und der Verfolgung von Literaten enden sollte, hingewiesen hatte, daß bei einer Schwächung der Zentralgewalt und Unruhen oder Aufstandsbewegungen in der Provinz der Einheitsstaat nicht aufrechtzuerhalten war. Dieser strukturellen Schwäche des Zentralstaats wurde durch eine partielle Aufsplitterung der Macht begegnet, was durch eine Stärkung der Gentry bzw. der mit dieser Schicht weitgehend zusammenfallenden Literatenbeamten geschah. Unter der Han-Dynastie trat die reale, namentlich militärische und territoriale Macht des Herrschers an Bedeutung zurück gegenüber der symbolischen und rituellen Funktion der Institution des Herrschers. Dies diente der Festigung des Ideals des Einheitsreiches. Zur Zeit der Herrschaft Wang Mangs (9–23 n. Chr.) und vollends dann in der Späteren Han-Dynastie (25–220 n. Chr.) hatte sich das Ideal des Imperiums weitgehend etabliert.

Dynastiewechsel und Herrschaftslegitimation

Kritisch waren immer die Herrscherwechsel, die nicht selten zugleich einen Dynastiewechsel bedeuteten. Zwar wurde in der Regel frühzeitig ein Thronfolger bestimmt, doch konnten bei dessen Minderjährigkeit die Witwe des verstorbenen Kaisers und ihr Klan erheblichen Einfluß ausüben. Die praktisch als Kaiserin herrschende Lü (reg. 188–180 v. Chr.) war es, die das Konzept des Alleinherrschers prägte und zugleich den Übergang der Legitimität auf die Kaiserinwitwe festlegte, womit sie die Grundlage für den, jedenfalls bis ins 12. Jahrhundert immer wieder spürbaren, starken Einfluß der Kaiserinnen auf die Politik des Reiches legte. Der Nachfolger Liu Bangs, des Gründers der Han-Dynastie, wurde Liu Ying. Er war der Sohn der Kaiserin Lü, unter deren Einfluß er blieb, bis sie im Jahr 188 die Regentschaft an sich riß. Zwar gelang es ihr nicht, den Liu-Klan gänzlich auszuschalten, doch schuf sie durch ihr Handeln den Spielraum, den eine Kaiserinwitwe in Zukunft haben konnte. Aufgrund der besonderen Form des Herrscherwechsels und der seit der Kaiserin Lü einer Kaiserinwitwe zugeschriebenen Autorität bei dem Fehlen eines Thronfolgers bzw. bei dessen Jugendlichkeit erhielten Kaiserinnen, die oft schon zu Lebzeiten mancher Herrscher zu Recht als die eigentlich Mächtigen galten, nach dem Tode ihres Mannes nahezu unbegrenzte Vollmachten. Aber nur eine, nämlich die Kaiserin Wu der Tang-Zeit, ließ sich auch formal als Kaiserin einsetzen und gründete eine eigene Dynastie.

Bei der Legitimation und Sicherung von Herrschaft spielten zahlreiche Elemente eine Rolle, insbesondere religiöse Kulte und alle Formen der Deutung von als übernatürlich empfundenen Erscheinungen. Wie sehr bei Thronfolgefragen auch Präzedenzfälle wichtig waren, zeigt die Absetzung eines regelrecht installierten Kaisers im Jahr 74 v. Chr. nach nur 27 Tagen. Dieser habe sich als unwürdig erwiesen; doch tatsächlich war hierbei die Witwe des verstorbenen Kaisers die Drahtzieherin. Die Repräsentation des Herrschers in den Provinzen und die Errichtung von monumentalen Bildwerken, insbesondere unter dem Einfluß des Buddhismus in den Nordstaaten des 5. und 6. Jahrhunderts, spielten bei der Legitimation von Herrschaft ebenso eine Rolle wie die Deutung von Himmelserscheinungen oder ungewöhnlichen Ereignissen.

Verwaltung und Hauptstädte

Als Folge der Parzellierung des Reiches in Kommandanturen (*jun*) und Kreise (*xian*) als Verwaltungseinheiten wurde eine Hierarchie von Zentralorten geschaffen, die im Zuge des wachsenden Binnenhandels, verstärkt in Zeiten staatlicher Zersplitterung, sich noch weiter differenzierte. Neben diesen Städten mit Verwaltungssitz bestanden seit der Han-Zeit umwallte Ackerbau-Städte, deren Bewohner neben der Landwirtschaft Handel oder ein Gewerbe betrieben. Die Städte waren daher von vornherein multifunktional, da sie administrative und kommerzielle Funktionen in sich vereinigten und zumeist auch als rituelle und religiöse Mittelpunkte dienten. Erst nach der Song-Zeit vermehrte sich wegen des weiteren Anwachsens des Binnenhandels und der Bevölkerungsentwicklung die Anzahl der Marktorte, die nicht zugleich Verwaltungssitz waren.

Die Hauptstädte als Zentren der Staatenbildungen waren auch rituelle Mittelpunkte. Als solche wurden sie an ausgewählten Orten begründet oder wiederbegründet. Seit frühester Zeit hatten die Metropolen hohe Einwohnerzahlen. Während es zu Zeiten der Reichseinheit nur eine, gelegentlich eine zweite und ganz selten auch eine dritte Hauptstadt gab, entstanden in Zeiten der Reichsteilung mehrere Hauptstädte. Seit der Reichseinigung waren Chang'an und Luoyang Reichshauptstädte, die dadurch ebenso zu Zentren des Reichtums und der Prachtentfaltung wie zum Ziel aufständischer Bewegungen wurden. Im Zuge der Reichsteilungen der folgenden Jahrhunderte wurden andere Orte zu Hauptstädten der Reichsteile. Dadurch wurde das Zentralitätsmonopol immer wieder durchbrochen und Urbanität in verstärktem Maße über das Reich „verteilt". Während für die Südreiche Jianye (oder Jiankang, das heutige Nanjing) zum dauerhaften Regierungssitz wurde – in der Zeit der Drei Reiche war auch Chengdu (Sichuan) Hauptstadt –, übernahmen bei den Reichen im Norden neben Chang'an und Luoyang, je nach Aufteilung der Herrschaftsgebiete, noch andere Orte Hauptstadtfunktionen. Der die Reichseinigung im 6. Jahrhundert einleitende nördliche Staat Zhou begann dies von Chang'an aus, das – von zeitweiligen Verlagerungen nach Luoyang abgesehen – bis zum Ende der Tang-Dynastie die Hauptstadt bleiben sollte. Die wenige Jahrzehnte später (960) errichtete Dynastie Song hatte ihre Hauptstadt östlich von Luoyang in Kaifeng, dort, wo die vorhergehende Dynastie bereits ihre Hauptstadt und wo vor allem der neue Song-Herrscher seine Hausmacht hatte, bis die Dynastie vor den eindringenden Jurchen nach Süden ausweichen mußte und Lin'an (Hangzhou) als neue Hauptstadt wählte. Keine dieser Städte erhielt später je wieder eine solche Bedeutung, sondern Hauptstädte wurden seit der Mongolenzeit das heutige Peking (Beijing) und zeitweise Nanjing.

II. Die Begründung des Einheitsreiches (221 v. Chr.–220 n. Chr.)

1. Aufstieg und Erfolg des Staates Qin

Erst mit der von dem Teilstaat Qin begründeten gleichnamigen Dynastie beginnt das chinesische Kaiserreich, und damit beginnt „China" für uns, denn unsere Benennung des Landes, das sich das „Reich der Mitte" nennt, geht auf den Dynastienamen Qin zurück. Dieser Staat Qin hatte seinen Anfang mit dem Jahr 897 (traditionelle Datierung, denn bis 841 v. Chr. haben wir mehrere divergierende Chronologien) genommen, als der Zhou-König einem Häuptling und Pferdezüchter namens Feizi ein festes Einkommen durch Zuteilung von Land bei dem heutigen Tianshui (Gansu) aussetzte, damit dieser Pferde liefere. Der vierte Nachfolger Feizis, Herzog Zhuang (821–778 v. Chr.), hatte den Herzog-Titel erhalten, den bis 325 v. Chr. alle Qin-Herrscher führten, ehe sie sich „König" nannten.

Neben den sich bildenden Staaten bestand das Königreich Zhou fort, das seit 770 durch einen Barbarenangriff seine Westliche Hauptstadt hatte aufgeben und in die Nähe des heutigen Luoyang (Henan) hatte weichen müssen, das bereits vom Herzog von Zhou, dem Bruder des ersten Zhou-Königs, als Hauptstadt eingerichtet worden war. Das Zentrum der Qin-Macht wurde mehrfach in Richtung Osten verlegt, im Jahr 677 nach Yong (dem heutigen Fengxiang in Shaanxi), im Jahr 350 nach Xianyang (in der Nähe von Xi'an).

Die Macht der Qin wuchs zunächst durch ihre militärischen Auseinandersetzungen mit den sog. Rong-Barbaren im Norden und Westen. Durch diese Berührung wurden die Qin geprägt, und sie galten selbst noch im 2. Jahrhundert v. Chr. bei anderen Stämmen Chinas als „Barbaren". Zugleich nahmen die Qin Institutionen und Praktiken aus anderen Teilen Chinas an, so etwa bestimmte Feste wie das Sommerfest und später das Winterfest (La), von denen einige unter den folgenden Dynastien ihre Bedeutung behalten sollten.

Reformen unter Herzog Xiao (361–338)

Unter Herzog Xiao von Qin (361–338) und seinem Berater Shang Yang (gest. 338) wurden die entscheidenden Weichen für eine erfolgreiche Expansionspolitik gestellt. Shang Yang, zunächst kleiner Beamter im Staate Wei, dem östlichen Nachbarn und Rivalen von Qin, ging im Jahr 361 nach Qin. Die Staats- und Verwaltungsreformen dieses Kanzlers sowie einige Jahrzehnte später die Militärreformen des Generals Wei Ran (gest. 265 v. Chr.) schufen die Voraussetzungen für den Erfolg des Qin-Staates. Shang Yang setzte ein System von Belohnungen und Strafen durch, und die Mehrheit der Bevölkerung wurde in produktive Berufe gedrängt. Vor allem hat die Zentralisierung der Verwaltung als sein Werk zu gelten. Im Jahre 350 gliederte er das Qin-Territorium in 31 Kommandanturen (*jun*), denen jeweils ein von der Zentrale eingesetzter Vorsteher (*ling*) vorstand. Eine effektive Landwirtschaft und ein starkes Heer waren seine obersten Ziele, wogegen Handel und Handwerk eher behindert wurden. Dies sollte, trotz der Beförderung des Handels zu Beginn der Han-Zeit, zu einem bestimmenden Faktor der späteren Jahrhunderte werden. Der Machtzuwachs der Zentralgewalt beruhte auf der Schwächung bzw. Ausschaltung von Zwischenschichten und auf der virtuellen – auch vor dem Strafrecht wirksamen – Gleichstellung der bäuerlichen Produzenten. Ein wichtiges Mittel der Disziplinierung wurde nach dem Wegfall intermediärer Lehns- bzw. Vasallenbeziehungen die Gruppenhaftung.

Seit den Reformen des Shang Yang wuchs die Macht des Qin-Staates beständig: Im Jahre 325 beanspruchte der Herzog von Qin, ebenso wie die meisten Fürsten der anderen Staaten, den Königstitel „wang". Auf Siege über nomadisierende Völkerschaften im Nordwesten im Jahr 314 v. Chr. folgte im Jahr 311 die Besetzung der Länder Shu (d. i. die Ebene von Chengdu in der Provinz Sichuan) und Ba (im östlichen Sichuan das Gebiet um Chongqing). Die abgeschirmte Lage der Hauptstadt im Wei-Tal spielte ebenso eine wichtige Rolle bei der Konsolidierung des Qin-Reiches wie die Randlage, von der aus sich der Staat nach Nordwesten, vor allem aber in das Gebiet der Provinz Sichuan ausdehnen konnte. Die Expansion des Qin-Staates rief diplomatische Bemühungen der anderen Staaten hervor, einerseits, um sich gegen Qin zu verbünden, andererseits, um sich durch Annäherung an Qin eine gewisse Sicherheit zu verschaffen.

Im Jahre 256 zerstörte Qin schließlich das Zhou-Haus, das einst die frühere Shang/Yin-Dynastie unterworfen und zunächst selbst die Vorherrschaft ausgeübt, seit Jahrhunderten aber eigentlich keine Bedeutung mehr gehabt hatte. Bereits seit langem hatte Qin, ebenso wie die Fürstenhäuser einiger der anderen Staaten, den Anspruch auf das Himmelsmandat erhoben. Dabei spielte eine wichtige Rolle, daß nicht mehr die Belehnung durch den Zhou-Herrscher, sondern die faktische Macht und die agnatische Erbfolge zu den entscheidenden Kriterien für die Legitimität geworden waren.

Ebenso wie in den anderen Teilstaaten wurde auch im Staate Qin die Standardisierung von Maßen, Münzen, Hohl- und Längenmaßen sowie des Achsstandes gefördert, und im Zuge der Erweiterung erwies sich schließlich auch eine Schriftreform als unabdingbar. Der Ausbau des etwa 120 km langen Kanals nördlich des Wei-Flusses durch den Baumeister Zheng Guo nach 246 v. Chr. und die Dujiangyun-Bewässerungskanalisation in Sichuan hatten Qin die nötigen Nahrungsressourcen verschafft, die überhaupt erst die Grundlage für die weitere Expansion bildeten. Dem Qin-Staat kam zwar auch eine fortgeschrittene Eisentechnologie zugute, wichtiger aber waren die Effizienz der Verwaltung und die erfolgreichen Agrarreformen.

2. Eroberungen und Reichseinigung

Die „Architekten" des Einheitsreiches

Der im Jahr 250 v. Chr. zum Kanzler von Qin ernannte Handelsherr Lü Buwei wurde nach dem Tod des Qin-Herrschers im Jahr 247 als Regent für den unmündigen Thronfolger, der als „Erster Erhabener Kaiser der Qin" (Qin Shihuangdi, geb.

259 v. Chr.) in die Geschichte eingehen sollte, eingesetzt, bis dieser ab 238 die Regierungsgeschäfte führte. Nachfolger Lü Buweis wurde Li Si, der bereits im Jahr 247 nach Qin gekommen war und über Lü Buwei Zugang bei Hofe gefunden hatte. Irgendwann zwischen 219 und 213 wurde Li Si schließlich Kanzler zur Linken und bekleidete dieses Amt bis zu seinem gewaltsamen Tode im Jahr 208. Lü Buwei und Li Si waren die eigentlichen „Architekten" des ersten Kaiserreiches. Vor allem Li Si ist das Verdienst der Reichseinigung zuzuschreiben, und auf ihn gehen die großen Leistungen des jungen Einheitsreiches zurück, die Überwindung feudaler Strukturen, die Disziplinierung der Literaten, die Vereinheitlichung der Schrift und die Rationalisierung der Verwaltung.

Die innere Überlegenheit des Staates Qin befähigte ihn schließlich dazu, die anderen sechs Staaten zu unterwerfen und nach dem Untergang des Staates Qi im Jahr 221 v. Chr. ein Einheitsreich zu errichten. Den Eroberungen der anderen Staaten war eine lange Reihe von Ausdehnungsfeldzügen nach Norden und vor allem Südwesten vorangegangen. Der imperiale Anspruch der Qin wurde auch dokumentiert durch die Eulogien und Lobeshymnen, die der Minister Li Si in Stein einschreiben ließ. Wie nach ihm nur wenige Herrscher Chinas durchreiste Qin Shihuangdi auf fünf großen Reisen sein Reich und ließ an signifikanten Orten, namentlich auf Berggipfeln, Inschriftensäulen aufstellen. Die Reisen Shihuangdis durch sein Reich hatten auch die Funktion, Verbindung mit allen Göttern aufzunehmen und sich ihres Beistandes zu versichern. In den Küstenregionen meinte er offenbar zudem, am ehesten mit seinen Gottkollegen in direkte Berührung zu gelangen. Besonders in den beiden Küstenstaaten Yan und Qi waren ja Praktiken im Schwange, mit deren Hilfe Menschen angeblich zu frei umherschweifenden Gottheiten werden konnten. Auch wurde dort gelehrt, diese Halb- oder Vollgötter pflegten sich auf paradiesischen Inseln im Meer aufzuhalten und ließen von dorther manchmal einem Auserwählten die Lebensverlängerungsmedizin zukommen.

Die prägende Rolle Shihuangdis

Dem Kaiser Qin Shihuangdi kommt bei der Ausprägung des imperialen Staatskultwesens eine besondere Rolle als Vorbild zu, und auch der Begründer der nachfolgenden Han-Dynastie, Gaozu, war bestrebt, wieder an die alte Qin-Religion anzuknüpfen. Shihuangdi ließ sich als Gottkaiser verehren. Er betrachtete seine Dynastie als den Endpunkt einer Entwicklung und einen qualitativ neuen Zustand der Herrschaft, den er für alle kommenden Zeiten sichern wollte. Dies zeigt auch der von ihm gewählte Titel „Erster Kaiser", womit eine numerisch unendliche Folge von Kaisern impliziert wird. Als in der neuen Reichshauptstadt (nahe dem heutigen Xi'an) residierender Gottkaiser war Shihuangdi natürlich auch der Vorgesetzte sämtlicher Lokalgottheiten des Reiches.

Daß sich Shihuangdi mehr als Gott denn als Mensch fühlte, ersehen wir an seiner Palastanlage, die eine Nachahmung des Sternbildes „Himmelsgipfel" (*tianqi*) darstellte. Dies war der Wohnsitz des „All-Einen" (*taiyi*), des Obersten aller Himmelsgötter, der insbesondere in den Kreisen der Daoisten verehrt wurde. Die riesige Grabanlage des Kaisers, die in Miniatur das gesamte Universum darstellte, war eine letzte Wohnstatt, wie sie für einen Gottmenschen sich geziemte.

Shihuangdi wurde wegen der unter ihm durchgeführten Verfolgung der Werke, in denen „das Alte erhoben und das Neue herabgesetzt wurde", sowie wegen seiner Strafmaßnahmen gegen die opponierenden Gelehrten zu einer der bestgehaßten Figuren der konfuzianischen Geschichtsschreibung.

Mit der Gründung der Qin-Dynastie war die Eroberungspolitik nicht abgeschlossen, sondern die militärische Expansion und die Kolonialisierung, namentlich Richtung Norden und Süden, wurden fortgesetzt. Im Zuge dieser Kampagnen wurde ein weiteres großes Wasserbauprojekt durchgeführt, nämlich der sog. „Magische Kanal", der das Stromgebiet des Yangzi mit dem des Westflusses bis nach Kanton verband und über den die Truppen im Süden versorgt werden sollten. Zu solchen Baumaßnahmen wurden nicht nur Verbrecher oder dienstver-

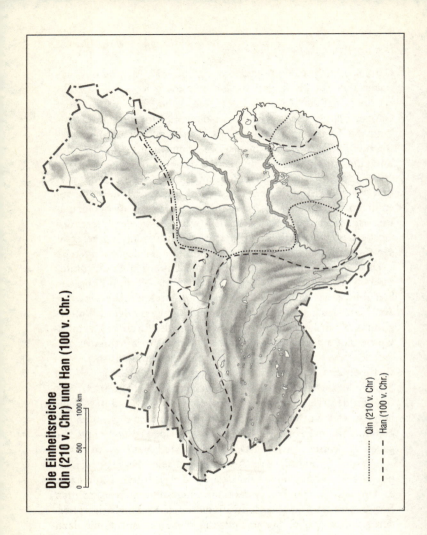

pflichtete Bauern, sondern auch Angehörige der Bürokratie verschickt.

Verwaltung

In Qin und bei zeitgenössischen Fürstentümern wurden die politischen Veränderungen begleitet durch eine Weiterentwicklung verschiedener Institutionen und eine wachsende Professionalisierung und Spezialisierung in der Verwaltung sowie durch die Etablierung eines geschriebenen Rechtskodex. Xianyang, das seit 350 die Hauptstadt des Qin-Staates war, war Sitz der Zentralregierung. Das Reichsgebiet wurde, trotz der Vorschläge einiger Berater, nicht auf Familienangehörige der Herrscherfamilie verteilt, sondern in Verwaltungseinheiten, 36 Präfekturen oder Kommandanturen (*jun*) und diese wiederum in Kreise (*xian*), aufgeteilt. Neben der regulären Zivilverwaltung gab es eine Militärverwaltung sowie jene bedeutsame Einrichtung, deren Beamte als *jianyushi* („überwachende kaiserliche Archivare") bezeichnet wurden und die als Vorläuferin des Zensorats anzusehen ist. Jede Kommandantur wurde durch einen Zivilbeamten, einen Militärbeamten und einen kaiserlichen Aufseher geleitet. Diese Beamten wurden zentral eingesetzt und erhielten feste Gehälter. Die Ämter waren nicht erblich, und die Beamten konnten jederzeit abberufen werden. Die Zahl der Kreise (*xian*) ist ungewiß, doch dürften es knapp über 1000 gewesen sein, eine Zahl, die sich auch später nicht wesentlich änderte. Im Jahre 2 n. Chr. waren es 1314, 1911 waren es 1381 und 1972 waren es (ohne Xinjiang, Tibet und Yunnan) 1479 Kreise. Die „Regierungsmaschine" blieb also in ihrer Grundstruktur seit 221 v. Chr. bis 1911 im wesentlichen konstant. Dabei war das *junxian*-System, die Unterstellung des gesamten Territoriums unter die Zentralregierung, entscheidend. Hieraus resultierte die Gegnerschaft des alten Adels, die mit dazu beitrug, daß beim Übergang von der Dynastie Qin zur folgenden Han-Dynastie vorübergehend der politische Feudalismus der Zhou-Periode restauriert und nahezu zwei Drittel des Territoriums als „Königtümer" (*wangguo*) eingerichtet wurden.

Die einzelnen Königtümer waren nach dem Modell der Organisation des kaiserlichen Teils organisiert, dessen Herrschaftsanspruch sie unterworfen waren. Doch beschränkte sich die kaiserliche Herrschaft während jener Zeit faktisch zunächst auf das Gebiet des modernen Shanxi, Shaanxi, Henan, Sichuan, Hubei und Teile von Gansu.

Zu den Erfordernissen einer zentralistischen Verwaltung gehörte die Schriftlichkeit der Bürokratie, und hierzu war eine Vereinheitlichung der Schriftzeichen nötig, die insbesondere auf Drängen des Beraters Li Si ins Werk gesetzt wurde. Damit begann die Etablierung schriftlicher Verständigung, die sich zunehmend von der gesprochenen Standardsprache, mehr aber noch von den regionalen Dialekten entfernte. Die einheitliche Schrift aber blieb die einzige Möglichkeit der Integration der einzelnen Dialekte, so daß die Schrift das wichtigste Element kultureller und politischer Einheitsstiftung wurde.

Die Gründung der Kaiserdynastie Qin im Jahr 221 v. Chr. stellt einen Höhepunkt in mehrfacher Hinsicht dar: Sie war das Ergebnis einer jahrhundertelangen Entwicklung und zugleich der Beginn des chinesischen Großreichs bzw. Imperiums; denn trotz des Einheitsgedankens und des Herrschaftsanspruchs einer Zentralgewalt war das Herrschaftsgebiet früherer „Dynastien" doch immer recht klein geblieben.

Unter den Herrschern des chinesischen Kaiserreiches nimmt der erste, Qin Shihuangdi, eine Sonderstellung nicht nur deswegen ein, weil er die Institution des Kaisertums einrichtete und den Kaisertitel einführte, sondern weil mit der durch ihn begründeten Herrschaftsform bereits alle Besonderheiten des chinesischen Kaiserreiches zutage treten, die für die gesamte Kaiserzeit bis zum Beginn des 20. Jahrhunderts kennzeichnend geblieben sind. Damit verbunden blieb der Konflikt zwischen dem Kaiser als dem Repräsentaten des Einheitsreichsgedankens und den partikularen, insbesondere den regionalen Interessen.

Shihuangdi als Trauma und Vorbild

Die Machtentfaltung dieses auch nach eigenem Selbstverständnis ersten Kaisers von China hinterließ bei allen späteren Generationen der chinesischen Literaten ein Trauma. Sie befürworteten zwar den Gedanken des Einheitsreiches, aber viele der daran geknüpften Konsequenzen erschienen ihnen nicht akzeptabel. Dies führte zu einer Eindämmung der kaiserlichen Macht durch die Schicht der Literatenbeamten, die einerseits das durch die Distanz zwischen Kaiser und Volk bestehende Legitimationsdefizit insbesondere durch Verwaltung der Riten füllten und andererseits daraus ihren Anspruch auf Privilegien ableiteten. So legten der Qin-Staat als erstes Einheitsreich und sein Herrscher den Grundstein für das chinesische Kaiserreich, doch wurde dieses in seiner Eigenart erst durch eine Korrektur der Gründungsbedingungen geprägt, und es ist wohl die dadurch entstandene Vielschichtigkeit und Interessenverschränkung, die dem chinesischen Reich seine Dauerhaftigkeit beschert hat.

Die Ambivalenz gegenüber diesem Herrscher lag aber auch darin begründet, daß einerseits er es war, auf den das Einheitsreich zurückging, während andererseits alle späteren Dynastien des Kaiserreiches nicht ihn und das Qin-Reich, sondern das halblegendäre Reich der Shang und die Dynastie der Zhou zu ihren Vorbildern erklärten. Wie Shihuangdi wurden auch später alle starken Kaiser bewundert und gefürchtet, doch dafür, daß keinem abermals eine solche Machtentfaltung gelingen konnte wie diesem, sorgte die Beamtenschaft, der jede Form von Sultanismus und von Caesaropapismus allein schon im Interesse der Bewahrung ihrer eigenen Privilegien als verwerflich galt. Dennoch blieb die Erinnerung an die Größe und den Glanz der Herrschaft des ersten Kaisers von China lebendig, und die Faszination des Ordnung stiftenden, alle Menschen gleich behandelnden Rigorismus erfaßte auch spätere Generationen, wozu nicht zuletzt die im *Shiji* überlieferten Texte der Steininschriften beitrugen.

Der späteren chinesischen Geschichtsschreibung hat es gefallen, die Kurzlebigkeit des Qin-Reiches mit dessen Totalitarismus und Feindseligkeit gegenüber den konfuzianischen Schriften zu begründen. Tatsächlich war dieses Einheitsreich nicht von Dauer, und die Errungenschaften einer in hohem Maße rationalen Staatsverfassung ließen sich nicht umstandslos auf ein großes Territorium übertragen. Und auch der folgenden Dynastie Han war es nur dadurch möglich, das Reich zusammenzuhalten, daß sie zunächst die Lokalfürsten wieder in ihre Rechte einsetzte. Das Kaiserreich Qin bestand also nur für gerade zwölf Jahre. Das von dem Qin-Herrscher geschaffene System allerdings blieb im wesentlichen für die nächsten 2000 Jahre bestimmend, und der Kaisertitel (*di*) blieb wegen seiner politischen und zugleich religiösen Konnotation die Bezeichnung für den Kaiser.

Bereits im ersten Jahr der Regierungszeit des ihm nachfolgenden Sohnes brach im heutigen Henan, im Gebiet des früheren States Chu, ein Aufstand unter Führung des Rebellenführers Chen She (oder: Chen Sheng) aus. Im Zuge der Wirren trat Liu Bang als ein weiterer Anführer in Erscheinung, dem es nach langen Kämpfen gelang, sich im Frühjahr 202 v. Chr. als Kaiser des wiedervereinigten Reiches inthronisieren zu lassen.

3. Die Han-Dynastie

Liu Bangs Weg zur Macht

Daß Liu Bang, „gewählt" durch sein Heer, sich als Kaiser ausrufen ließ, war nicht selbstverständlich, zumal die Nachfolger des 210 gestorbenen Qin Shihuangdi unbedeutend waren und es in den letzten Jahren, 206–202 v. Chr., überhaupt keinen Kaiser mehr gegeben hatte. Von denen, die Machtansprüche geltend machten, konnten sich schließlich Liu Bang und Xiang Yu, der eine ein Bauer, der andere ein Abkömmling der alten Aristokratie, durchsetzen. Obwohl sich Xiang Yu zunächst als der geschicktere Heerführer erwies, hatte Liu Bang im Norden doch die bessere strategische Ausgangsposition. Die kriegerischen Ereignisse spitzten sich schließlich zu einem Zweikampf zwischen Xiang Yu und Liu Bang zu. Liu Bang eröffnete seine Kampagne gegen Xiang Yu im Sommer des Jahres 206. Eine Vereinbarung zwischen Liu Bang und Xiang Yu im Jahr 203, sich die Einflußsphären zu teilen, war nicht von langer Dauer, und als die Kämpfe wieder ausbrachen, konnte Xiang Yu der Übermacht Liu Bangs nur mit wenigen Leuten entkommen und wurde schließlich nach einer von der späteren Historiographie dramatisch ausgemalten Verfolgung zur Selbstentleibung getrieben.

Der wesentliche Unterschied in der Territorialherrschaft der Han gegenüber der der Qin lag in der Organisation der Provinzen. Xiang Yu hatte eine Konföderation von 19 Königtümern unter seiner Führung angestrebt, und Liu Bang mußte entsprechende Erwartungen bzw. Ansprüche seiner Mitstreiter, von denen einige bereits den Königstitel für sich reklamierten, erfüllen. So schuf er neben seinem in 13 Kommandanturen (*jun*, i. J. 195 waren es 15) und den Hauptstadtbezirk aufgeteilten Reichsland 10 Königtümer im Osten. Diese im Jahr 202 v. Chr. geschaffene Ordnung barg zwar zunächst die Gefahr der Verselbständigung der Königtümer, die ja als Erbkönigtümer beansprucht wurden, doch vermochte Liu Bang die Gefahr dadurch zu bannen, daß er in den folgenden Jahren die Könige durch Angehörige seiner Familie ersetzte. Im Jahre 196 v. Chr. waren bis auf ein Königtum, nämlich das südlichste in Changsha, alle wieder in der Hand seiner Familie. Zwischen 154 und 126 v. Chr. gab es ständige Konflikte zwischen den Königtümern und der Zentrale. Schließlich obsiegte die Zentrale. Das Reich war aufgeteilt in Provinzen (*jun*) einerseits und Königtümer (*wangguo*) andererseits, die weiter unterteilt waren in Kreise (*xian*), Distrikte (*xiang*) und Dörfer (*li*). Zur Verwaltung der Kommandanturen setzte die Zentralregierung, wie schon unter den Qin üblich, Gouverneure (*shou*) ein, die auch für die Steuereintreibung zuständig waren.

Die rituelle Stellung des Kaisers

Der Kaiser mit dem Titel „Huangdi", der in der Nachfolge des göttliche Abstammung beanspruchenden „Königs" (*wang*) der

Zhou stand, blieb die zentrale Gestalt für die Regierung, die Verwaltung und den Kult. Doch wurden die Han-Herrscher nicht mehr in dem Maße, wie es noch Qin Shihuangdi beansprucht hatte, als Götter betrachtet. Daher mußte der Herrscher, um die Distanz zu wahren, strenge Verhaltensregeln für die Begegnung mit seinem Gefolge einführen und auch selbst rituelle Vorschriften beachten. Nach der Abhaltung eines solchen Zeremoniells im Jahre 201 v. Chr. war Gaozu, der Gründungsherrscher des Han-Reiches, so beeindruckt, daß er gesagt haben soll: „Heute habe ich erfahren, worin die Erhabenheit liegt, ein Herrscher zu sein."

Durch Einrichtung von Ahnentempeln des Herrschers überall im Reiche – im Jahre 72 v. Chr. waren es 168 – kam es zu einer Multiplikation des Zentrums. Zur ideologischen Untermauerung des Herrschaftsanspruchs trug vor allem die bereits alte, aber nun erneut begründete Theorie des „Himmelsmandats" (*tianming*) bei. Trotz mancher Konflikte und Thronfolgestreitigkeiten innerhalb der herrschenden Cliquen folgten in der politischen Zielrichtung doch alle Han-Kaiser dem durch Liu Bang vorgezeichneten Weg, der der Konsolidierung des neu geschaffenen Imperiums diente. Am erfolgreichsten war dabei Wudi (reg. 141–87 v. Chr.), der freilich auf die Leistungen der vorangegangenen Jahrzehnte und nicht zuletzt bestimmter herausragender Berater, vor allem Xiao He (gest. 193 v. Chr.), Cao Can (gest. 190 v. Chr.), Jia Yi (201–169) und Chao Cuo (gest. 154 v. Chr.), aufbauen konnte.

Innenpolitik und Recht

Die Zurückdrängung der Königtümer unter Wendi und Jingdi hatte dem Reich eine bislang nie dagewesene engmaschige Verwaltungsstruktur über das Territorium gegeben, bei der die produktivsten Regionen in kleine Verwaltungseinheiten gegliedert waren. Mehrere Amnestien (zwischen 180 und 141 wurden allein acht Generalamnestien verkündet), aber auch die Abschaffung besonders grausamer Strafen sowie eine Milderung der Steuerpflicht waren Ausdruck einer entspannten Lage.

Ein Teil der Steuereinnahmen mußte an die jeweils höhere Instanz abgeliefert werden, und diese Einnahmen waren zu verbuchen. Die Zentralregierung verteilte die ihr zufließenden Mittel auf ihre Gliederungen. Dabei entwickelte sich eine Budget-Praxis, die am Ende der Früheren Han-Zeit fest etabliert und in der Beamtenschaft bekannt war, so daß diese Budget-Praxis bei volkswirtschaftlichen Überlegungen und Entscheidungen, nicht zuletzt bei Kontroversen, immer schon als bekannt vorausgesetzt werden konnte. Für die Qualität der von der Zentrale eingesetzten Beamten war das Rekrutierungssystem von entscheidender Bedeutung. Viele der im chinesischen Mittelalter und darüber hinaus angewendeten Auswahltechniken wurden in der Han-Zeit ausgebildet. Eines der Prinzipien war, daß der Vorschlagende immer auch zu bedenken hatte, ob der Vorgeschlagene von der Bevölkerung akzeptiert werden würde, zumal er selbst für die Qualität seines Kandidaten einzustehen hatte. Auch wurden die Vorgeschlagenen einer Prüfung unterzogen, insbesondere ob sie des Lesens und Schreibens fähig waren.

Innerer und Äußerer Hof

Die mit Rängen und Ehrentiteln versehenen Mitglieder des Hofes, der „Innere Hof", tendierten dazu, den eigens in ihre Ämter eingesetzten und bezahlten Beamten, dem „Äußeren Hof", die Macht zu beschneiden. Da außer dem Direktor des Herrscherklans kein Minister der Kaiserfamilie angehören durfte, kam es leicht zu Spannungen zwischen der Bürokratie und dem Inneren Hof, dem auch die Eunuchen angehörten, die in manchen Zeiten ganz erheblichen Einfluß ausübten und sogar Ämter in der Bürokratie erhielten. Ursprünglich für den Dienst im Harem der Herrscherfamilie vorgesehen, gewannen manche Eunuchen aufgrund ihrer Vertrauensstellung Einfluß und Macht und erhielten Privilegien. Im 2. Jahrhundert n. Chr. wurde den Eunuchen sogar das Adoptionsrecht eingeräumt, so daß sie Besitz vererben konnten.

Im Zusammenhang der Sicherung staatlicher Einheit ist

auch die gelegentlich durchgeführte Umsiedlungspolitik zu nennen, die nicht nur dazu diente, das Land auszudehnen und neue Gebiete zu erschließen. Bis zum Ende des 1. Jahrhunderts v. Chr. veränderten vor allem im Nordwesten die Militärkolonien oder Wehrdörfer (*tuntian*), bei denen es sich um Ansiedlungen von zur Landarbeit verpflichteten Soldaten handelte, die Bevölkerungsverteilung. Zwangsumsiedlungen verfolgten aber auch den Zweck, einflußreiche Familien zu versetzen und sie von ihrer Hausmacht zu isolieren. In anderen Fällen wurden Einzelpersonen an den Hof befohlen, die gewissermaßen als Geißeln das Wohlverhalten ihrer Familien in der Heimat gewährleisten sollten. So wurden im Jahr 198 v. Chr., einem Vorbild der Qin folgend, über 100 000 Angehörige begüterter und einflußreicher Familien der ehemaligen Staaten Qi (Nord-Shandong) und Chu (im mittleren Yangzi-Gebiet) in die Gegend rund um die Hauptstadt Chang'an, das heutige Xi'an, deportiert.

Agrarverfassung und die Finanzierung des Militärs

Der Konsolidierung nach innen folgte nach außen eine verstärkte militärische Expansion. Im Jahre 108 v. Chr. hatten die Han-Truppen das Reich zu seiner bis dahin größten Ausdehnung gebracht. Die militärische Expansion Kaiser Wudis verschlang große Summen, und um diese aufzubringen, wurden besondere Steuern erhoben. Eine neue Kupfermünze wurde eingeführt, und 113 wurde das Privatmünzwesen – anscheinend mit Erfolg – verboten. Die neue Münze diente bis in die Tang-Zeit als Zahlungsmittel. Seit 120 wurde versucht, die Erzgewinnung unter staatliche Kontrolle zu stellen. 98 v. Chr. wurde ein staatliches Weinmonopol eingeführt. Namentlich mit dem Wirtschaftsreformer Sang Hongyang (gest. 80 v. Chr.) sind die Maßnahmen verbunden, Warenpreise festzulegen und Warentransporte zu koordinieren, um Mangel und Überfluß auszugleichen. Auch der Fernhandel wurde gefördert. So wurden jährlich bis zu zehn Karawanen, bestehend aus mehreren Hundert Teilnehmern, von Chang'an in die Königreiche des

Fernen Westens entsandt. Um die durch die verstärkte wirtschaftliche Kontrolle gestiegenen administrativen Erfordernisse zu erfüllen, wurde neben dem Landwirtschaftsamt (*dasinong*) und dem Amt des Finanzaufsehers (*shaofu*) eine Aufsichtsbehörde für die Wasserstraßen und Parks (*shuiheng duwei*) eingerichtet, die seit 113 dann auch für die staatliche Münze verantwortlich war.

Während die sogenannten „Modernisten" (M. Loewe) gewisse Staatsmonopole und Handelssteuern begrüßten, sonst aber einen selbstregulierenden Markt befürworteten und die Entstehung größerer Landgüter begünstigten, protestierten die sogenannten „Reformer" gegen die Entstehung von Großgrundbesitz und wandten sich gegen die Zunahme von Staatsmonopolen. Prominentester Vertreter der Modernistenfraktion war der bereits erwähnte Sang Hongyang, Vertreter der Reformistenfraktion waren Bu Shi und Dong Zhongshu (ca. 179 – ca. 104 v. Chr.).

Das „Scheitern" der noch am Vorbild der Qin-Herrschaft orientierten „modernistischen Politik" deutete sich bereits zu dem Zeitpunkt an, als die Macht Wudis ihren Gipfel erreicht zu haben schien: Am Ende des 2. Jahrhunderts v. Chr. mußten die chinesischen Truppen schwere Rückschläge gegen die Xiongnu hinnehmen; im dichtbesiedelten Osten des Reiches, im Gebiet der heutigen Provinz Shandong, waren Unruhen unter der Bevölkerung ausgebrochen, und die Verwaltung hatte die Kontrolle weitgehend verloren. Nach Wudi zeitigten die autokratischen Tendenzen einen Bruch zwischen Hof und Beamtenschaft. Der Hof war zum Zentrum der von den Kaiserinnenfamilien gesponnenen Intrigen geworden.

Cliquenkämpfe bei Hofe und „entthronte Kaiser"

In den 90er Jahren kam es zu größeren Mißständen. Die Bevölkerung konnte offenbar die Belastungen nicht mehr tragen, und es kam zu Aufständen. In den Jahren 91/90 wurde mit Mühe die Auslöschung der Dynastie verhindert. Die Staatskrise war auch Ausdruck eines Konfliktes zwischen rivalisierenden Klangruppen einzelner Haremsangehöriger. Es kam schließlich zu Kämpfen in der Hauptstadt, die Tausende von Toten forderten. Da es keinen ordnungsgemäß nominierten Thronfolger gab, wurde beschlossen, einen jungen Thronfolger zu benennen und ihn zunächst einem Triumvirat zu unterstellen. Dieses wurde mit einem Erlaß im Jahre 87 v. Chr. eingesetzt. Kurz darauf wurde ein achtjähriger Sohn Wudis, der zu keinem der großen miteinander rivalisierenden Klane Beziehungen hatte, zum Thronfolger bestimmt. Schon zwei Tage danach wurde er, da sein Vater starb, zum Kaiser ernannt.

Dieser Nachfolger Wudis auf dem Thron (seit 87 v. Chr.), mit dem postumen Titel Zhaodi, war nicht das erste und auch nicht das letzte Kind, das, bevormundet von anderen, während der Han-Zeit auf den Thron kam. Aber auch sonst haben nur wenige Han-Kaiser eine neue Politik initiiert oder die Geschicke der Dynastie wirklich gelenkt. Solche Ausnahmen sind außer Wudi der Dynastiegründer Gaodi (202–195 v. Chr.) (d. i. Liu Bang), Wang Mang (9–23 n. Chr.), Guangwudi (25–57 n. Chr.) und in geringerem Maße Xuandi (74–49 v. Chr.) und Aidi (7–1 v. Chr.) gewesen. Entsprechend war auch die Nachfolgefrage in erster Linie eine Angelegenheit der Fraktionen und einzelner mächtiger Politiker.

Nach dem Tode Zhaodis (reg. 87–74) wurde auf Betreiben Huo Guangs (gest. 68 v. Chr.), des mächtigsten Mannes jener Jahre, Liu He, ein Enkel Wudis, gerufen, der seinem Vater als König von Changyi, einem Lehen in Shandong, gefolgt war; doch fügte sich dieser nicht den Ritenvorschriften und wurde daher auf Betreiben Huo Guangs nach 27 Tagen wieder abgesetzt. An diesem Vorgang zeigt sich, in welchem Maße in jener Zeit Riten befolgt wurden. Eines der zentralen Themen jener Zeit war die Lage der Hauptstadt. Während manche Berater für eine Verlegung der Hauptstadt nach Luoyang eintraten, das weniger durch Kriege und die Erinnerung an die Dynastiegründung und Wudis Herrschaft belastet war, sammelte Yuandi (reg. 49–33 v. Chr.) weiter Kunstgegenstände u. ä. in Chang'an und im dortigen Palast, was ihm erhebliche Kritik einbrachte.

46

Grenzbeziehungen und Außenpolitik

Die Schwäche der Zentralmacht am Ende der Qin hatten fremde Völker am Rande Chinas zu ihrem Vorteil nutzen können. Auch nach der Etablierung der Dynastie Han bestand die Gefahr, daß sich einzelne Könige mit fremden Völkern gegen den Han-Kaiser verbündeten. Vor allem das Volk der Xiongnu bedeutete eine dauernde Bedrohung der Nordgrenze des Reiches, insbesondere seit gegen Ende der Qin-Zeit unter der Führung der Xiongnu in der Steppenzone eine große Föderation der Nomadenstämme entstanden war. Unter der Han-Dynastie nahm der Handel zwischen den einzelnen chinesischen Regionen und den Ländern des asiatischen Kontinents geradezu sprunghaft zu, und die Expansionspolitik der Han-Dynastie steht zweifellos mit dem verstärkten Außenhandel in Zusammenhang. In Korea unterhielt China während der Han-Zeit vier Kommandanturen an der Westseite der koreanischen Halbinsel, und bis ins 4. Jahrhundert n. Chr. blieb die Westküste der koreanischen Halbinsel chinesisch beherrscht und zum Teil auch chinesisch besiedelt.

Während der Späteren Han war die außenpolitische Lage grundsätzlich verändert. Die Xiongnu waren gespalten, weil sich die Südlichen Xiongnu dem chinesischen Tributsystem unterworfen hatten. Ferner siedelte eine ganze Reihe fremder Stämme innerhalb der Grenzen des Reiches und mußte nur friedlich gehalten werden. Die Politik des Gründungsherrschers der Späteren Han, Guangwu (reg. 25–57 n. Chr.), folgte mehr und mehr der Methode „mit Hilfe von Barbaren die Barbaren kontrollieren" (*yi yi zhi yi*) oder „mit Barbaren Barbaren angreifen" (*yi yi fa yi*), was nicht nur Bündnispolitik bedeutete, sondern auch die Verwendung z. B. von Xiongnu als Kavalleristen. Die Vorherrschaft Chinas in Zentralasien hat zwar in den folgenden Jahrhunderten nicht immer aufrechterhalten werden können, doch sind mit den Ausdehnungen des Han-Reiches die wesentlichen Herrschaftsansprüche vor allem auch des späteren China ausgestritten worden.

4. Die Bewährung der Ordnungsvorstellungen und der Kulte des Kaiserreiches

Man hat die religiösen Bewegungen am Ende der Han-Zeit vielfach als Ausdruck eines religiös-moralischen Vakuums bezeichnet und in diesem Zusammenhang auch von einem Niedergang des Konfuzianismus gesprochen, der erst wieder unter der Tang-Dynastie eine Neubelebung erfahren habe. Diese Auffassung beruht auf der späteren neo-konfuzianischen Selbstdarstellung, die von einer erst wieder mit Han Yu (768–824) beendeten Unterbrechung der Lehrtradition seit Menzius (372–289 v. Chr.) ausgeht. Bei genauerer Betrachtung zeigt sich aber, daß die konfuzianische Tradition und vor allem die mit dieser Tradition verknüpfte Sozialethik fortbestand und daß die Erneuerung des Konfuzianismus unter der Tang-Dynastie gar nicht anders zu erklären ist als mit einer bestehenden konfuzianischen Tradition.

Sinnfälliger Ausdruck für das Nebeneinander einer in der Tradition der Qin stehenden zentralistischen Herrschaftsauffassung einerseits und für die prekäre Macht des Han-Herrschers andererseits ist der Umstand, daß das religiöse Zentrum des Reiches zunächst gar nicht bei der neuen Hauptstadt Chang'an und auch nicht bei dem ihr auf der anderen Seite des Wei-Flusses gegenüberliegenden, nunmehr zerstörten Xianyang war, sondern dort, wo die *alte* Hauptstadt der Qin gewesen war, etwa bei dem heutigen Fengxiang in Shaanxi, etwa 150 km westlich von Chang'an gelegen. Dort befand sich ein ausgedehnter heiliger Bezirk mit mehr als hundert Kultstätten für Sonne, Mond und eine große Anzahl von Gestirnen, vor allem aber für die Fünf Gottkaiser der Weltgegenden. Das bedeutete nun, daß der Herrscher, um den Kontakt mit der überirdischen Welt aufzunehmen, sich der Reise nach Yong unterziehen mußte. Auf Dauer aber waren solche Expeditionen zu kostspielig, und so waren viele bestrebt, die Kultstätten nahe bei der Hauptstadt zu etablieren. Die Durchführung des an die Qin erinnernden Kultes in Yong wurde vor allem seit der Durchsetzung der sog. „Reformisten" im 1. Jahrhundert

v. Chr. als unhaltbar empfunden, da diese eine Politik in der Nachahmung der Zhou-Könige verfolgten. Die nun geforderte Zentralisierung des Kultes und die gegenläufige Tendenz des Auftretens neuer, mächtiger, Opfer erheischender Götter in der Peripherie kennzeichnen ein ganz entscheidendes und immer wieder neu auftretendes Dilemma, dem sich die Herrscher und die Beamtenschaft Chinas gegenübersahen. Sie mußten geistlich gewissermaßen das ganze Reich pazifizieren und die wesentlichen Kulte an sich binden. Doch bei jeder Schwäche tendierten die lokalen Kulte dazu, wieder aufzuleben und damit den Herrschaftsanspruch der Zentrale in Frage zu stellen. Doch noch Han Wudi (reg. 141–87 v. Chr.) begab sich nicht weniger als neunmal nach Yong. Erst nach dem Tode Wudis setzten sich allmählich jene von Wudi selbst eingesetzten, summarisch auch als Konfuzianer bezeichneten Schriftgelehrten bei Hofe gegen die Magier und religiösen Praktiker (*fangshi*) durch und interpretierten den Kaiser als obersten Lehrer der Menschheit. Das, was er lehren sollte, waren die Inhalte ihrer klassischen Bücher. Dadurch entstand mit der Zeit die Grundlage einer Vereinheitlichung, die sich im Verlauf der chinesischen Geschichte immer wieder durchsetzte und alle religiösen Sonderströmungen, wie groß deren Einfluß auch zu manchen Zeiten war, schließlich in den Hintergrund drängte.

Einblicke in die religiösen Strukturen ebenso wie in die Herrschaftsverhältnisse im chinesischen Mittelalter geben diejenigen Fälle, in denen religiöse Reformen durchgeführt oder doch versucht wurden. Ein Beispiel hierfür sind die Reformen Kuang Hengs im Jahr 31 v. Chr. Sie betrafen die Orte der Staatsopfer, den Sinngehalt des Staatskultes und die Art ihrer Durchführung. Zugleich wurde eine große Zahl von Schreinen und Tempeln und der dazugehörigen Kulte unterbunden bzw. integriert. Unter dem Einfluß Kuang Hengs wurde die Zeremonie des Vorstadt-Opfers (*jiao*) von Yong und anderen Orten in die Hauptstadt Chang'an verlegt. Und anstelle der Fünf Weltgegenden-Götter, der Erdgottheit und der Großen All-Einheit wurden hinfort nur Himmel und Erde verehrt. Von 683 staatlichen Opferstätten, die sich an allen Orten im Reich befanden, wurden 475, das sind ca. 70%, aufgelassen. Und von den 203 Plätzen in Yong allein blieben ganze 15 übrig, die zu Bergen, Flüssen oder sonstigen Landschaftspunkten gehörten. Diese Veränderungen bereute Kaiser Chengdi (reg. 33–7 v. Chr.) zwar nach einiger Zeit, vor allem unter dem Einfluß Liu Xiangs (77–6 v. Chr.), doch wurden die alten Kulte nur noch hin und wieder aufgegriffen. Die Reform religiöser Praktiken war selbst nur Teil einer weit umfassenderen Reformbewegung, die in den letzten 50 Jahren der Westlichen Han-Dynastie verfolgt wurde und die später mit dem Namen der Alttext (*Guwen*)-Schule verbunden wurde. Im Gegensatz dazu stand die Neutext (*Jinwen*)-Schule, welche die bestehende, im Grunde die Tradition der Qin fortsetzende Regierungspraxis rechtfertigte. Die Alttextschule berief sich auf den Herzog von Zhou und wollte die Verhältnisse verändern und dabei vor allem dem Ritensystem wieder zu seiner ihm vermeintlich seit alters zukommenden Geltung verhelfen.

Mit der Zeit setzte sich eine eher rationale diesseitsbezogene Weltsicht durch, obgleich sich während der Westlichen Han-Zeit und zum Teil noch darüber hinaus starke magische Elemente auch bei den Konfuzianern finden, deren Abgrenzung gegen die Magier (*fangshi*) daher nicht immer leicht ist. Die rationale Weltsicht wurde begünstigt durch die Institution des Kaisers, der alleiniger Mittler zu den Geistern wurde. Doch diese Lösung barg zugleich eine Gefahr: geriet der Herrscher unter den Einfluß mit dem Geisterkult operierender (wuistischer) Kreise, wurde der Prozeß rückgängig gemacht. Der Grad der Diesseitsbezogenheit hängt also aufs engste mit der Frage zusammen, auf welche Kreise sich der Herrscher stützte. Während die Magier, die Eunuchen und die Daoisten stets wuistische – und seien es auch nur Wuismus-ähnliche – Tendenzen bestärkten oder initiierten, waren die konfuzianisch gebildeten Beamten – zumeist jedenfalls – Verfechter einer Zurückhaltung gegenüber den Geistern.

Nun war es nicht nur für den Herrscher verlockend, sich einem vielleicht auch seine Person betreffenden Heilsangebot von seiten etwa der Daoisten zu öffnen – und dies geschah weit häufiger als weithin angenommen wird –, sondern auch der sogenannte „konfuzianische" Beamte war gelegentlich bereit oder hatte es gar zum Ziel, den Herrscher durch Rituale zu entmündigen. Eines der trefflichsten Beispiele ist das *fengshan* (Hügel-Altar)-Opfer, das dann mit der Song-Zeit und ihrem Rationalismus sein Ende erlebte. Wie aber jeder Rationalismus noch einen irrationalen Rest birgt, zeigt sich auch daran, daß einzelne, die sich als Überwinder von als unsauber und verderblich gekennzeichneten heterodoxen *yin*-Kulten profilierten, selbst Gegenstand späterer Verehrung wurden. So ist Di Renjie (630–700), der Hunderte von *yinsi*, „unsittlichen Kulten", im Unteren Yangzi-Tal ausgemerzt hatte, für seinen Ikonoklasmus bekannt. Hundert Jahre später wird er in einem Tempel in Chang'an verehrt. Damit wurde der Zerstörer sittenwidriger Kulte in der Peripherie für seine „Leistung" in der Hauptstadt verehrt!

III. Teilung des Reiches und Fremdvölker (220–589 n. Chr.)

1. Rebellionen und Gefahren aus der Steppe

„Dämonenhafte Rebellen"

Religiöse soziale Bewegungen traten vor allem in Zeiten des Verfalls von Herrschaftsstrukturen ans Licht. Es ist daher nicht verwunderlich, daß im Laufe der Späteren Han-Zeit, verzeichnet unter dem Jahre 132 n. Chr., von „dämonenhaften Rebellen" (*yaozei*) die Rede ist, die „Zeichen und Wunder" zur Legitimation ihrer Sache nutzten. Diese Rebellen forderten nicht nur einen neuen Herrscher, sondern einen Dynastiewechsel und damit so etwas wie eine „kosmische Erneuerung". Als Erwiderung auf Unregelmäßigkeiten in der Nachfolgeregelung am Kaiserhof wurden allein im Jahr 145 n. Chr. drei Rebellenherrscher ausgerufen, und dies wiederholte sich in den folgenden Jahren und Jahrzehnten. Einer dieser Aufstände war der des einer Familie von Heilern entstammenden Zhang Jue (gest. 184), der ebenfalls eine neue Dynastie gründen wollte.

Zhang Jue hatte den Aufstand, der an einem festgelegten Tag im dritten Monat des Jahres 184 an mehreren Orten gleichzeitig losbrechen sollte, von langer Hand vorbereitet. Tatsächlich aber mußte Zhang Jue wegen eines Verrats früher losschlagen, was trotz des vorgezogenen Termins an mehreren Orten gleichzeitig geschah. Es kam in großem Umkreis südlich, östlich und nordwestlich der Hauptstadt zu Aufständen, die wegen der Tracht der Aufständischen als „Gelbe Turbane" bezeichnet wurden. Zhang Jue und seine unter dem Motto *Taiping*, was man mit „Großer Friede", aber auch mit „Große Gleichheit" übersetzen kann, auftretende Bewegung hatte sich insbesondere daoistischer Elemente bedient.

Der Ursprung der sogenannten „Fünf-Scheffel-Reis-Sekte" (*wudoumidao*) geht in die Zeit der Herrschaft des Kaisers Shundi (reg. 125–144) zurück. Der von dieser Sekte und ihrem Anführer Zhang Lu (186–216) organisierte Aufstand in der

Gegend von Hanzhong, im Westen des Reiches, erschütterte zur gleichen Zeit wie der Aufstand der „Gelben Turbane" das Reich, ohne daß es zwischen beiden Aufstandsbewegungen eine Verbindung gegeben hätte. Zhang Lu begründete einen von religiösen und neuen Vergemeinschaftungsidealen geprägten Staat, der sich erst im Jahr 215 dem General Cao Cao unterwerfen mußte.

Ausschaltung der Eunuchen und Herrschaft der Kriegsherren

Nach der Zerschlagung oder Selbstauflösung der alten Familien in der Zeit nach 170 n. Chr. sicherte nur noch die Macht der Eunuchen den Bestand der Dynastie. Bereits zur Zeit des Kaisers Lingdi hatten sich vier Männer als neue Kaiser ausrufen lassen, einer im Jahr 172 im Süden, einer 178 in Luoyang, ein weiterer 187 im Norden, und ein vierter 188 im Westen. Politische Verfolgungen (*danggu*) und Intrigen hatten in den Jahren 169–184 das Klima am Hof vergiftet. Nachfolger Lingdis wurde ein Kind, und He Jin wurde als Regent eingesetzt. Die Anti-Eunuchen-Fraktion forderte den Herrscher auf, eine Aktion gegen die Eunuchen ins Werk zu setzen. He Jin jedoch, der über die Stärke der Anti-Eunuchen-Fraktion unsicher war, zögerte und suchte zunächst Hilfe aus den Grenzgebieten herbeizuholen. Doch die Anti-Eunuchen-Fraktion forderte sofortiges Handeln. Inzwischen aber war das Komplott bei den Eunuchen bekannt geworden, die ihrerseits nun einen Staatsstreich unternahmen und im Herbst des Jahres 189 He Jin ermordeten. Darauf reagierte die Gegenseite mit einem Massaker an über 2000 Eunuchen. Damit wurde die institutionelle Balance des Han-Regierungssystems endgültig zerstört, und der letzte Kaiser wurde zum Gefangenen ehrgeiziger Generäle.

Das Reich war zu einem Schlachtfeld geworden, auf dem mehrere Generäle ihre Ansprüche anmeldeten. Zunächst gelang es keinem, eine Allianz zusammenzubringen, die hätte siegreich werden können. Die wichtigsten dieser Kriegsherren waren Dong Zhuo, ein Abenteurer aus Ost-Gansu, Yuan Shu, ein Vetter von Yuan Shao, Cao Cao (155–220), der Adoptivenkel eines Eunuchen, und Sun Ce (175–200), der ältere Bruder von Sun Quan, der im Jahr 222 n. Chr. in Wuchang das Reich Wu gründen sollte.

In den Kämpfen der Generäle untereinander festigten zwei Feldherren ihre Macht, nämlich Yuan Shao und Cao Cao. Während jedoch die militärische Macht Yuan Shaos in den Ostprovinzen durch innere Konflikte allmählich zerfiel und gegen die marodierenden Truppen Dong Zhuos in den Jahren 190–196 nichts ausrichten konnte, hatte sich Cao Cao allmählich eine schlagkräftige Truppe aufgebaut, mit der er 196 n. Chr. als stärkster Herausforderer Yuan Shaos in der Mittleren Ebene auf den Plan trat. Der Kaiser Xian seinerseits hatte sich bei seiner Umsiedlung von Chang'an nach Luoyang an beide Heerführer gewandt; doch während Yuan Shao den Kaiser nicht in seinem Herrschaftsbereich sehen mochte und einen eigenen Kaiser zu etablieren suchte, entsprach Cao Cao der Bitte und erschien schließlich persönlich zur Audienz.

2. Die Drei Reiche

Die Teilung zwischen Nord und Süd

Keiner der Militärführer hatte die Macht, das Territorium der Han-Dynastie unter seine Herrschaft zu bringen. Offenbar kam keine hinreichend starke Koalition zustande, die an einer Überwindung der Teilung interessiert gewesen wäre. Folge der Teilung war eine Auseinanderentwicklung der einzelnen Regionen, zugleich aber eine zunehmende Kolonisierung der südlichen Gebiete. Die Wanderungsbewegungen, insbesondere der Exodus erheblicher Teile der nördlichen Aristokratie im ausgehenden 3. und im frühen 4. Jahrhundert, bereiteten den Boden für eine spätere Vereinigung. Zunächst aber entfremdeten sich die Regionen voneinander, und die Verschiedenheit von Norden und Süden wurde geradezu zu einem Topos, der noch lange, auch über die Wiedervereinigung des Reiches am Ende des 6. Jahrhunderts hinaus, wirken sollte.

Im Norden hatten seit dem Ende der Han-Dynastie die Nomaden begonnen, seßhaft zu werden bzw. waren von chinesischer Seite seßhaft gemacht worden. Offenbar unter dem Druck dieser Staatsbildungen an der Nordgrenze verstärkte sich auf chinesischer Seite die Tendenz zur Zentralstaatlichkeit, die sich nicht nur gegen die „Barbaren" richtete, sondern die auch durch die kalten Winter und die Zwänge zum Deichbau am Gelben Fluß und zu Bewässerungsarbeiten begünstigt wurde. Eine wichtige Rolle spielten die „legalistischen Traditionen" der Qin-, der Frühen Han-und der Cao-Wei-Dynastie, die besonders im Norden bleibende Spuren hinterlassen hatten.

Die Erfolge Cao Caos

Mit der Ära Jian'an (196-220) war eine neue Situation geschaffen. Cao Cao hatte mit Hilfe des Hofes bewährte Mitstreiter mit glänzenden Titeln ausgestattet, und er konnte durch eine auf Empfehlung und Tüchtigkeitsnachweis basierende Form der Beamtenrekrutierung die Administration in seinem Gebiet prägen. Mit dem so gewonnen Prestige und der ihm zukommenden vielfältigen Unterstützung gelang es Cao Cao in den folgenden Jahren, die meisten seiner militärischen Rivalen zu besiegen oder sie auf seine Seite zu ziehen. Während dieser Jian'an-Ära bildeten sich Strategien der Machterhaltung heraus, die für die politische Kultur der folgenden Epoche bestimmend werden sollten. Eine der wichtigen Figuren jener Zeit war Yuan Huan, der sich schließlich Cao Cao unterstellte und mit diesem die Ansicht teilte, daß „Waffen nur das letzte Mittel" seien; es komme darauf an, das Militär auch moralisch zu erziehen, und überhaupt politisches Handeln auf den Prinzipien von Menschlichkeit (*ren*) und Rechtschaffenheit (*yi*) fußen zu lassen. Für die Legitimation von Herrschaft wurden also zunehmend auch die Einstellungen und Überzeugungen größerer Bevölkerungsgruppen wichtig. Die Erziehung der Bevölkerung wurde daher seit jener Zeit als eine wichtige Aufgabe des Staates erkannt.

Im Jahre 205 n. Chr. gelang es Cao Cao, seinen Erzrivalen

Yuan Shao auszuschalten. Nun kontrollierte er den gesamten Norden und damit das Zentrum des damaligen China und herrschte über etwa die Hälfte der Reichsbevölkerung. Im Norden und Nordwesten suchten sich die Reste der Xiongnu-Konföderation gegen das Volk der Xianbi (oder: Xianbei) zu behaupten. Eine der zahlreichen administrativen und ökonomischen Maßnahmen Cao Caos war die Wiedereinrichtung von Militärbauern-Kolonien (*tuntian*), wie sie bereits früher Han Wudi etabliert hatte. Diese sollten die Selbstversorgung des Militärs, namentlich der Grenzsicherungstruppen, gewährleisten. Aber nicht nur dort, sondern auch im Landesinneren wurden neue *tuntian* eingerichtet, da im Zuge der kriegerischen Wirren zahlreiche Bauern ihr Land verlassen hatten.

Der Erfolg der verschiedenen Wirtschaftsprogramme (u.a. Bewässerungsmaßnahmen) bildete die Basis für die Sicherung der Macht Cao Caos. Auf diese Weise schuf er, dessen Herrschaftsstil autoritär war und der die politischen Traditionen des zentralistischen Legalismus fortführte, eine Militärdiktatur mit einer Berufsarmee, bei der die zum Teil aus Angehörigen der Nomadenstämme bestehenden Soldatenfamilien eine eigene „Kaste" bildeten. Die Institutionalisierung dieses Zentralstaatsideals, dessen Funktionieren durch ein an Leistung und Weiterempfehlung orientiertes Beförderungssystem (*jiupin*) gesichert wurde, setzte sein Sohn Cao Pi (187–226) später fort, unter dem auch ein als „Neuer Kodex" (*Xinlü*) bezeichneter Strafrechtskodex erlassen wurde.

Cao Caos Ziel, das ganze Reich zu einen, scheiterte aber an der Militärallianz im Süden zwischen Sun Quan (182–252) und Liu Biao bzw. Liu Bei (161–233). Ein Wendepunkt in der Expansionspolitik und der Anfang von Bestrebungen der Feldherren im Süden, sich nicht einfach abdrängen zu lassen, war die entscheidende und später legendär gewordene Schlacht an der Roten Wand im Jahre 208, durch die Cao Cao das weitere Vordringen über den Yangzi verwehrt wurde. In der Folge konzentrierte sich Cao Cao auf die Festigung seiner Macht im Norden, obwohl er die Idee der Reichseinigung wohl niemals aufgegeben hatte. Damit hatten sich drei Herrschaftsdomänen herausgebildet. Cao Cao, Sun Quan und Liu Bei beherrschten jeder einen Teil des Reiches.

Nachdem nach Cao Caos Tod sein Sohn Cao Pi die Thronabdankung des letzten Han-Herrschers entgegengenommen und sich im Jahre 220 als Kaiser von Wei hatte ausrufen lassen, folgte Liu Bei in Sichuan dessen Vorbild und ließ sich im folgenden Jahr als Herrscher einer neuen Dynastie mit Namen Han ausrufen. Sun Quan im Osten hingegen anerkannte zunächst die Vormachtstellung Cao Pis, wofür dieser ihn zum König von Wu ernannte. Im Inneren vermochte es die Cao-Familie aber nicht, rivalisierende Klane auszuschalten. Namentlich der Sima-Klan gewann an Macht, aus dem schließlich Sima Yan (236-290) hervorging, der sich im Jahr 265 zum Kaiser einer neuen Dynastie Jin machte. Die Machtübernahme durch den Sima-Klan, der allgemein als konservativ-unduldsam charakterisiert wird und der seine Familienmitglieder belehnte und auch insofern sich ganz gegen die durch Cao Cao begründete Tradition des Wei-Staates richtete, beschleunigte die Tendenz zu einer neuen Form der Feudalisierung und beendete den Versuch der Cao-Familie, eine am Ideal der Han-Dynastie orientierte zentralisierte Herrschaft zu etablieren. Diesem Staat dienten nicht wenige schon allein deshalb aber immer bereitwilliger, weil sie sich von der Umverteilung von Landbesitz eigene Vorteile versprachen.

Die Reiche Shu-Han und Wu im Süden

Die Militärallianz im Süden hatte keinen dauerhaften Bestand, doch begann erst mit den eigenständigen Südreichen die eigentliche Sinisierung des Südens. Im Westen hatte Liu Bei in der Provinz Sichuan das Reich Han mit Chengdu als Hauptstadt gegründet, das bis zur Eroberung durch den Nordstaat im Jahre 263 Bestand hatte. Der andere der beiden Südstaaten konnte sich etwas länger behaupten. Zunächst schwach und nur durch die natürlichen Flußgrenzen vor rascher Einnahme von Norden her geschützt, war seit dem Ende des 2. Jahrhunderts am Unteren Yangzi-Lauf, nicht zuletzt dank eines raschen Bevölkerungszuwachses, eine erhebliche militärische Macht aufgebaut worden, die vor allem auf dem südöstlichen Hinterland, das bis zum Perlfluß in der Gegend des heutigen Kanton reichte, basierte. Unter Sun Quans Herrschaft prosperierte das Reich Wu (222–280) mit Jianye, dem heutigen Nanjing, als Regierungssitz. Doch nach Sun Quans Tod kam es zu Thronfolgestreitigkeiten, die auch ein Ausdruck des Übergangs der Macht von den Militärs auf die mächtigen Klane jener Gegend waren. Diese Schwächung ermöglichte es der von dem Sima-Klan beherrschten Jin-Dynastie, den Staat Wu im Jahre 280 zu annektieren.

Der Jin-Staat des Sima-Klans

Die durch den Jin-Staat so geschaffene Einheit war nicht von Dauer. Denn der den Jin-Staat beherrschende Sima-Klan mußte die Ansprüche seiner zahlreichen Mitglieder befriedigen, wobei insbesondere die Pfründen der Prinzen besonders üppig waren, die sich zudem eigene Armeen hielten und diese auch nach den Abrüstungsbemühungen seit 280 nicht auflösten. Überhaupt war diese Abrüstungspolitik verfehlt, weil sie weder das erwünschte Waffenmetall für die Münzprägung einbrachte noch die demobilisierten Soldaten in Abgaben leistende Bauern verwandelte. Denn der Staat stellte diesen nicht das notwendige Land zur Verfügung, und so verkauften sie lieber selbst die Waffen an Angehörige der Grenzvölker, die ihrerseits die Chinesen als Siedler willkommen hießen. Auf diese Weise nahm die militärische Stärke der Grenzvölker und der Truppen der Prinzen erheblich zu. Die Sima-Familie vermochte es ferner nicht, die anderen mächtigen Familien auszuschalten, d.h. deren Grundbesitz und die Zahl der Abhängigen zu begrenzen. Diese Familien hatten Privatmilizen (*buqu*) aufgebaut, die bis zu 5000 Mann stark waren. Nach dem Tode des Gründers des Jin-Staates Sima Yan im Jahr 290 kam es daher zu Streitigkeiten zwischen den Adligen. Die Schwäche des Kaisers Hui und die Fragmentierung der Macht führten zu einem als „Rebellion der acht Fürsten" (*bawang zhi luan*) bekannten Machtkampf der acht Prinzen von 300 bis 306, einem regelrechten Bürgerkrieg.

Es kam zu wechselnden Allianzen nicht nur zwischen den Prinzen und ihren Privatarmeen, sondern auch zwischen diesen und den Generälen der Jin. Die Generäle aber ebenso wie die Prinzen verständigten sich mit einzelnen Nordvölkern, vorzugsweise den Xianbi, von denen sie Truppen erbaten und mit denen sie Abkommen schlossen. Aufgrund eines alten Zwistes zwischen den Xianbi und den Tuoba waren letztere besonders leicht zu gewinnen, wenn es gegen die Xianbi ging, was einige Generäle auszunutzen verstanden. Der Zerfall des Jin-Reiches verstärkte die ohnehin sich vollziehenden Bevölkerungsverschiebungen, so daß es zu einer Völkerwanderung kam, die nicht nur eine Folge des Bügerkriegs, sondern auch von Naturkatastrophen wie Dürren und Heuschreckenplagen war.

3. Selbstverwaltung und Staat: Die Durchsetzung einer Gesinnungsaristokratie

Versöhnung von lokaler Autonomie und Zentralstaatlichkeit

Trotz zwischenzeitlicher Titelverleihungen und Landschenkungen zur Befriedigung einzelner bei der Machtgewinnung hilfreicher Militärs kam es in dieser Zeit der territorialen Zersplitterung nicht wieder zur Rückkehr feudaler Verhältnisse. Denn auf Dauer konnte jemand nur dann seine Macht etablieren, wenn die Führer der Gemeinden, später dann die Bürokratie, für ihn optierten und er sich als der Garant ihres Schutzes und ihres Wohlergehens erwies. In diesem Sinne war das Han-Reich die Vollendung des Altertums. Durch das unter Han Wudi eingeführte System der Empfehlung fähiger, vor allem durch Pietät und moralische Integrität ausgewiesener Kandidaten für Verwaltungsämter waren die autonome Sphäre der auf Solidarität basierenden Gemeindeselbstverwaltung einerseits und der Anspruch des Kaiserhofes auf Gestaltung der Politik und damit auf die Herrschaftsausübung andererseits versöhnt worden. Dies war die Leistung Dong Zhongshus

(179–104 v. Chr.) und der Anhänger konfuzianischer Wertvorstellungen gewesen, denen es um die Aufrechterhaltung der noch unter den Bedingungen der Blutsverwandtschaft der frühen Zhou-Zeit entstandenen moralischen Grundsätze auch unter den geänderten sozialen und politischen Bedingungen zu tun war.

Die Versöhnung dieser zunächst widerstreitenden Prinzipien lokaler Autonomie einerseits und der durch die Zentralstaatlichkeit entstandenen Heteronomie andererseits bildete nicht nur die Basis für den langen Bestand der Dynastie Han. Dadurch wurde später die Sicherung eines Weltreiches über zahlreiche Völkerschaften und schließlich die Persistenz des Weltreichideals auch über die lange Zeit der Trennung des Reiches und die Staaten- sowie Ethnienvielfalt der Zeit der Sechs Dynastien hinweg gesichert.

Keime des Zerfalls

Äußerlich freilich hatten gerade diese Versöhnung und die Ausdehnung des Reiches zunächst auch Keime des Zerfalls in sich getragen, gekennzeichnet einerseits durch die Emanzipationsbestrebungen der peripheren Völkerschaften bzw. ihrer Eliten, andererseits durch die Eigendynamik auf der Ebene der Gemeindeorganisation, die durch jegliche Bedrohung, sei es durch Naturkatastrophen, sei es durch schlechte Verwaltung oder andere Formen der Gefährdung ihrer Autonomie, in Bewegung gesetzt wurde und dann auch offen für neue Heilsversprechungen war. Niemals aber hatte sich daraus ein besseres Versöhnungsparadigma, anders formuliert: eine Vorstellung angemessenerer Verteilung von Machtverzicht und Sicherheitsgewinn entwickelt. Durch die Herausbildung von Großgrundbesitz war es im Laufe der Späteren Han-Zeit zu verschärfter Klassenbildung und schließlich zum Zusammenbruch gekommen. Damit war jedoch nicht das Ideal der Versöhnung aufgegeben worden, von dem allenfalls strittig sein kann, wer es am Ende der Han-Zeit hochgehalten hat, die Anhänger der sogenannten Lauterkeitsbewegung (*qingliu*) oder eine der anderen Gruppen.

In der Zeit nach dem Zusammenbruch der Han war dies die Aristokratie.

Die Frage, was denn als Aristokratie des Mittelalters zu bezeichnen sei, muß trotz unterschiedlicher Bewertung einzelner Bewegungen und auch sonst abweichender Ansichten dahingehend beantwortet werden, daß es sich um eine durch ihre Moral, durch ihre Sittlichkeit bestimmte Aristokratie, eine Gesinnungsaristokratie also, gehandelt habe.

Für die Annahme einer durch Zustimmung der örtlichen und regionalen Siedlungsverbände gesicherten Stellung der Aristokratie spricht übrigens, daß auch nach der Machtübernahme durch fremde Stämme im Norden die Han-Aristokratie auch dann nicht die Solidarität ihrer örtlichen Klientel verlor, wenn sie die neuen fremden Herrscher anerkannte. Im übrigen wäre ohne eine solche Aristokratie die vergleichsweise problemlose Machtübernahme der halbnomadischen Stammesfürsten kaum denkbar gewesen. Auch die Wiedervereinigung des Reiches im 6. Jahrhundert war nicht eine Folge der Begrenzung der Macht der Aristokraten gewesen, sondern vielmehr die Folge der Vermischung verschiedener aristokratischer Traditionen. Insgesamt war in dieser Zeit die Legitimation der dynastischen Herrschaft in hohem Maße defizitär, so daß jede Bemühung um politische Herrschaft deren Legitimität unter Zuhilfenahme von Heilslehren der verschiedensten Art zu begründen suchte. Die Umwerbung des buddhistischen Mönches Zhiyi (538–597), des Neubegründers der Tiantai-Schule des Buddhismus, zur Zeit der Sui-Dynastie von seiten der Verwaltungselite ist nur ein Beispiel hierfür.

4. Die Ausbreitung des Buddhismus

Die Seidenstraße und der Buddhismus

Der Buddhismus ist seit der Han-Zeit in China nachweisbar, doch erst seit dem Ende des 3. Jahrhunderts n. Chr. erfaßte er größere Teile der chinesischen Bevölkerung. Der Buddhismus bedeutete für China eine geistige Revolution, denn er warf nicht nur viele neue Fragen auf, sondern gab auch zahlreiche Antworten. Mit seinen Lehren von der Verstrickung des Einzelnen in die Welt und seinen Strategien zur Befreiung wurde er zur größten Herausforderung der chinesischen Kultur vor der Begegnung mit dem Abendland. Daher ist die Auseinandersetzung Chinas mit dem Buddhismus, der neben Konfuzianismus und Daoismus zur „dritten Lehre" Chinas wurde, auch für die spätere Geschichte von nicht zu unterschätzender Bedeutung.

Den Biographien einiger Buddhisten, die als Übersetzer hervortraten, können wir entnehmen, daß der Buddhismus bis zum Ende der Han-Zeit (220 n. Chr.) vorwiegend unter den ausländischen Bevölkerungsgruppen in China zu Hause war. Der Buddhismus war auf verschiedenen Wegen nach China gekommen, vor allem über die aus Zentralasien nach China führenden Handelswege, die zusammenfassend als „die Seidenstraße" bezeichnet werden, aber auch über den südlichen Seeweg. Doch erst nachdem sich entlang den zentralasiatischen Handels- und Reisewegen Zentren des Buddhismus gebildet hatten, wurden die Übermittlung und der Austausch von Lehren des Buddhismus intensiver, und die zahlreichen Mönchsdelegationen – seit der Reise des Mönches Zhu Shixin (um 260 n. Chr.) bis zu jener des bedeutenden Tang-Mönches Xuanzang (600?–664) sind 54 Mönchsgesandtschaften aus China nach Indien bekannt – führten auch zu einer erheblichen Erweiterung und Differenzierung des in China verbreiteten buddhistischen Lehrgutes.

Viele der in China auftretenden buddhistischen Meister kamen bald schon nicht mehr aus fernen Ländern, sondern seit dem 3. Jahrhundert aus Orten an der Seidenstraße, oder sie waren als Angehörige nichtchinesischer eingewanderter Familien in China geboren und aufgewachsen. Daher bestanden auch weiterhin, wie schon seit dem ersten Eindringen des Buddhismus nach China, mehrere, voneinander weitgehend unabhängige Sphären buddhistischer Frömmigkeit. Neben einem Buddhismus im Umkreis des Hofes gedieh in der Provinz ein organisiertes buddhistisches Klosterleben mit einer Laienanhängerschaft, und manche buddhistische Elemente fanden Eingang in Volkskulte.

Anti-buddhistische Polemik und die Durchsetzung von Mönchsregeln

Die Verhältnisse in der buddhistischen Mönchsgemeinde (*Sangha*) im China jener Zeit spiegeln auf ihre Weise die gesellschaftlichen Verhältnisse wider: nachdem der Buddhismus zunächst eine Angelegenheit ausländischer Händler und Einwanderer gewesen war, wurde mit der Zunahme von Mönchsgemeinden die besondere Verfassung des Sangha zu einem Politikum. Die Privilegien der Mönche führten zu anti-buddhistischen Polemiken, deren Argumente jahrhundertelang immer wieder aufgegriffen und später dann auch in den Auseinandersetzungen mit anderen Religionen, wie dem Christentum, verwendet wurden. Seit etwa 400 n. Chr. sollten Ausbildung der Novizen und regelrechte Prüfungen den Zugang zum Klerus bzw. die Fortdauer der Zugehörigkeit dazu regeln; die Erwählung aber zum Abt oder gar zum Patriarchen wurde selbst keinen Regeln unterworfen. Seit der späten Tang-Zeit war selbst die Erwählung als solche nicht mehr kontrollierbar, sondern wurde oft nur noch behauptet. Geschlechterähnliche Generationenfolgen innerhalb einzelner Lehrtraditionen bildeten sich seit dem 6. Jahrhundert heraus. Die Mönchsausbildung und die Kontrolle bzw. Prüfung der Mönche scheint in wesentlichen Elementen die später für das chinesische Bildungswesen überhaupt typische Prüfungs- und Ausbildungspraxis teilweise vorweggenommen zu haben.

Das Mönchswesen blieb etwas Fremdes in China, zumal die Ehelosigkeit der Mönche gänzlich unvereinbar schien mit dem Pietätsgebot, demzufolge man Nachkommen zu haben hatte, um den Totenkult für die Ahnen durchführen zu können. Hierauf mußte sich der Buddhismus einstellen, und er tat es auf verschiedene Weise. Einmal wurde von seinen Anhängern auf die Möglichkeit hingewiesen, der Mönch könne durch Fürbitte für seine Eltern diesen und deren Seelenheil viel nützlicher sein als ein Laie dies durch Fortsetzung der Abstammungslinie tun könne. Viel wichtiger aber war die dem Mahâyâna mögliche Gleichsetzung von Samsara und Nirvana, d.h. von dieser Welt des Schmutzes und der Verstrickung mit jener Welt der absoluten Befreiung, sowie die Vorstellung, daß jeder Mensch, ja im Grunde sogar jedes Lebewesen, in sich die Buddhanatur trage und daher auch unmittelbar die Erleuchtung erlangen könne. Zwar wurde mit solchen Lehren das Heilsprivileg des Mönchsweges relativiert bzw. unterminiert, doch kam die vor allem in der Gestalt des Vimalakîrti veranschaulichte Möglichkeit eines Laienlebens dem Lebensgefühl und den Interessen der aristokratischen Elite im China jener Zeit sehr entgegen, die daher um so mehr bereit war, ihrerseits das Klosterwesen nach Kräften zu fördern.

IV. Politische Gefolgschaft und Herrschaftssicherung (579–906 n. Chr.)

1. Gründung und Fall der Dynastie Sui

Im Jahre 581 ließ sich der mit der regierenden Familie der Nördlichen Zhou durch Heirat verwandte General Yang Jian (541–604) von dem unmündigen Kaiser der Nördlichen Zhou den Thron übergeben. Er gründete, einen von seinem Vater bereits geführten Titel „Fürst von Sui" aufgreifend, die Dynastie Sui und regierte seit 583 bis 604 n. Chr. in Daxingcheng (d. i. Chang'an, das heutige Xi'an); postum wurde er Wendi genannt. Es war dies ein Staatsstreich durch einen Angehörigen der nordwestlichen Adelsfamilien, und zwar ein im wesentlichen unblutiger Dynastiewechsel, nach dem es jedoch nicht nur galt, die anderen Prinzen des vormals herrschenden Yuwen-Klans auszuschalten, sondern auch und vor allem den Widerstand einzelner Militärmachthaber zu brechen. Erst nachdem General Gao Jiong gegnerische Truppen in der Nordchinesischen Ebene vernichtend geschlagen hatte, war der Sieg Yang Jians nicht mehr aufzuhalten.

Die Persönlichkeit Sui Wendis und das Einigungswerk

Die Persönlichkeit Yang Jians ist nur vor dem Hintergrund der Kultur des nordchinesischen, zum Teil mit der Steppenaristokratie versippten Adels mit seinen militärischen, kriegerischen und anti-intellektuellen Idealen zu verstehen. Yang Jian vertrat – auch gegenüber seinen Angehörigen – eine fast legalistische Gesetzesstrenge. Er war Anhänger des Buddhismus und zeigte dies durch Spenden und wohltätige Werke. So unzweifelhaft auch die Überlegenheit Yang Jians war, so stützte sich seine Macht doch auf eine Reihe von Beratern und Generälen, auf deren Loyalität er angewiesen war und die selbst der herrschenden Elite entstammten.

Zu einer großen Belastung wurde für den ersten Sui-Herrscher der Abwehrkampf gegen die Osttürken, so daß das Einigungswerk länger dauerte als beabsichtigt und eine Konsolidierung unter der von ihm gegründeten Dynastie nicht erreicht werden konnte. Als der Sui-Herrscher bereits 582 den Süd-Staat Chen angreifen wollte, verhinderte dies der General Gao Jiong mit dem Argument, man dürfe keinen trauernden Staat angreifen, doch stand dahinter vermutlich die Einsicht in die unzureichende militärisch-strategische Vorbereitung der Rückeroberung. Erst die Einsetzung von zwei Generälen als Gouverneure an der Grenze zur Unteren Yangzi-Region, die Einrichtung einer ersten Schiffahrtsverbindung nach Süden im Jahre 584 sowie die Fortsetzung des Kaiserlichen Kanals bis Yangzhou (nördlich von Nanjing) im Jahre 587 und nicht zuletzt die Einrichtung eines reichsweiten Getreidespeicher-Systems – 583 bereits hatte Wendi vier Getreidespeicher eingerichtet, um die Versorgung Chang'ans zu sichern –, erst all diese Maßnahmen bildeten das Rückgrat für die staatliche Einigung.

Die Reichseinigung erforderte eine Reform des Verwaltungswesens, wobei die Dynastien Han und Cao-Wei als Vorbild hingestellt, in Wirklichkeit jedoch viele Funktionen der Nordstaaten übernommen und nur umbenannt wurden. Bemerkenswert und Ausdruck der Machtkonzentration in der Hand des Herrschers ist, daß die Sui-Herrscher keinen Kanzler hatten. Die schwierigste Aufgabe, die regionalen Eliten zu gewinnen, gelang nur sehr langsam und blieb auch in den ersten Jahren der nachfolgenden Tang-Dynastie die vordringlichste Aufgabe. Es ist ein Ausdruck der Weltoffenheit Chinas zu jener Zeit, daß sich dort, vor allem im Bau- und im Kriegsministerium, ein hoher Anteil an Nicht-Chinesen findet.

Blüte und Verfall

Bei der Darstellung der zweiten Hälfte der Sui-Dynastie steht in der bisherigen Geschichtsschreibung die schillernde Persönlichkeit Yang Guangs (569–618, reg. 604–617 als Sui Yangdi) im Vordergrund, dessen Thronfolge als auf unlauterem Wege erschlichen gilt. Er war früh mit einer jungen Frau aus dem in der Gegend der Hauptstadt der Südlichen Dynastien, Jiankang

(Nanjing), beheimateten Liang-Hause verheiratet worden, die einen beträchtlichen Einfluß auf ihn gewann und auch dazu beigetragen haben dürfte, daß er sein Handeln von der Liebe zum Süden bestimmen ließ und sich so dem Norden entfremdete. Die ersten Jahre seiner Regierungszeit von 604 bis ca. 609 schienen zwar noch erfolgreich zu sein, doch wurde bald der innere Zusammenhalt des Reiches durch die Kosten der Einigung sowie durch überzogene Expansionspläne, vor allem die Feldzüge gegen Korea, geschwächt, und es kam zu einem rapiden Machtverfall im Innern.

Die öffentlichen Arbeiten

Neben den militärischen Expeditionen überforderten die bereits erwähnten Großprojekte die Ressourcen der Sui-Herrscher: der Ausbau der Schiffahrtswege und der parallelen Reichsstraßen und Relaisstationen zwischen 587 und 608 mit dem Ziel, die Täler des Gelben Flusses und des Wei-Flusses mit dem Unteren Yangzi-Tal bis nach Hangzhou zu verbinden, sowie die Erweiterung durch einen Kanal von Luoyang nach Peking im Jahr 608. Diese Projekte waren nicht nur kostspielig, ihnen fehlte die Zustimmung wichtiger Teile der Bevölkerung. Für die Versorgung des Nordens mit Gütern, insbesondere Getreide aus dem Süden, war der Ausbau der Transportverbindungen zur Sicherung der Versorgung jedoch von großer Bedeutung.

Als Kaiser Yang die Macht von seinem Vater übernahm, reduzierte er zunächst zwar die Arbeitsverpflichtungen. Doch seine hochgestimmten Pläne zielten auf eine weitere Integration des Reichsraumes und erforderten dann noch stärkere Arbeitsleistungen als zuvor; die wichtigsten seiner Vorhaben waren der Ausbau und die Errichtung einer Östlichen Hauptstadt in Luoyang und die Planung einer dritten Hauptstadt Jiangdu (heutiges Yangzhou). Yangdi setzte die auch von seinem Vater begonnenen Befestigungsarbeiten an der Nordgrenze fort; vor allem in den Jahren 607 und 608 wurden im Sommer verpflichtete Arbeiter in großer Zahl an die Nordgrenze geschickt, von denen jeder zweite umgekommen sein soll.

Der innere Zusammenbruch

Die Revolte des Yang Xuangan, Sohn des einflußreichen Generals Yang Su, in der Gegend um Luoyang im Jahre 613 war nicht der einzige Aufstand dieser Zeit; dem Kaiser gelang zunächst die Niederschlagung dieser Revolten, wenn auch nicht mit nachhaltig abschreckender Wirkung, so daß es im Jahre 614, als er eine neue Expedition gegen Korea unternahm, zu weiteren Erhebungen kam. Eine entscheidende Rolle spielte hier bereits politische Propaganda, die einzelne Heerführer als Retter des Reiches verherrlichte. Dies gilt besonders für Li Mi (582–618), der in den Jahren 616/617 Luoyang fast eingenommen hätte und der zeitweise der mächtigste Rebellenführer in Nordchina war. Yangdi selbst leistete den Zerfallstendenzen auch noch dadurch Vorschub, daß er sich im Jahre 616 trotz Protestes einiger Amtsträger nach Süden in seine dritte Hauptstadt Jiangdu zurückzog. Im April des Jahres 618 wurde Yangdi von dem Gardegeneral Yuwen Huaiji in seinem Palast in Jiangdu ermordet, und sein Neffe Yang Hao wurde als nomineller Herrscher eingesetzt, während in Chang'an von dem General Li Yuan und in Luoyang von Wang Shizhong andere Strohpuppen-Herrscher ausgerufen wurden. Zwar konnte sich bald einer dieser Militärs durchsetzen und die durch die Sui eingeleitete Zentralstaatsidee weiter verwirklichen. Doch auch unter der Tang-Dynastie wurden, in der Folge des Bürgerkrieges nach dem Aufstand des An Lushan in der Mitte des 8. Jahrhunderts, einzelne Reichsteile wieder faktisch unabhängig.

Merkmale des neuen Einigungswerks in der Sui- und Tang-Zeit

Die Einigung des Reiches unter der Dynastie Sui war das Ergebnis des Zusammenbruchs der Südstaaten und der zunehmenden militärischen Stärke der Reiche im Norden, unter denen die Nördliche Zhou schließlich die Vorherrschaft errang. Einer ihrer Heerführer, Yang Jian, hatte die Dynastie Sui ausgerufen; der Einigungsprozeß wurde aber erst von der folgenden Dynastie Tang vollendet. Entscheidend war der Umstand, daß die miteinander rivalisierenden Reiche im Norden, die Westliche Wei (seit 557 Nördliche Zhou) und die Östliche Wei (seit 550 Nördliche Qi), ihre inneren Verhältnisse und ihre militärische, aber auch ihre ökonomische Effizienz dermaßen steigern konnten, daß nach dem Zusammenschluß (577 eroberte die Nördliche Zhou die Nördliche Qi) der Expansionsdruck besonders stark wurde. Dabei hatte vermutlich auch eine Rolle gespielt, daß der erobernde Nördliche Zhou-Staat in der Nachfolge der Westlichen Wei noch stark von nomadischen Traditionen geprägt war. Dies galt insbesondere für die militärisch geprägte Führungsschicht der Nordwestregion, die bis in die Tang-Zeit auch an ihrem nomadisch geprägten Lebensstil und an der türkischen Sprache festhielt. Im Osten dagegen hatten die alten Adelsfamilien an den Traditionen der Han-Zeit festzuhalten versucht, und dem daraus resultierenden kulturellen Anpassungsdruck hatte dort die Tuoba-Elite nicht standzuhalten vermocht.

Die Wiedereingliederung des lange doch relativ eigenständigen Südens in ein zentrales Reich erforderte die Überbrückung der verschiedensten Interessengegensätze, vor allem aber eine kulturelle Reintegration. Die entscheidende Rolle bei der Reintegration des Reiches spielte der Buddhismus, den der Gründer des Sui-Reiches, Wendi, ebenso wie die ersten Tang-Herrscher für ihre Interessen instrumentalisierten. Zwar waren die Südreiche politisch und insbesondere militärisch dem Norden unterlegen, doch hinderte dies die Eliten im Süden nicht an einer höheren Selbsteinschätzung gegenüber dem Norden.

Die Besonderheiten der eigenen Sprache waren bereits durch die lange Konfrontation mit anderen Völkern bewußt geworden, insbesondere durch die Begegnung mit dem Buddhismus, der ja auch eine eigene Schrift mitgebracht hatte. Infolge der Ausdehnung der chinesischen Kultur ging es nun aber auch darum, die Geltungsansprüche der einzelnen Dialekte nicht zum Widersacher des Integrationsinteresses der Zentralregierung werden zu lassen.

2. Machtwechsel und Konsolidierung des Reiches

Vom General zum Kaiser

Der einer adligen Familie entstammende, bereits erwähnte General Li Yuan (566–635), seit 615 Kommandant Sui Yangdis in Taiyuan, hatte im Jahre 616 in Shanxi die Sui-Truppen gegen die Osttürken geführt. Da sich Sui Yangdi im Jahre 617 im Süden aufhielt, konnte sich die Macht Li Yuans nach seinem Erfolg gegen die Osttürken und gegen einige Rebellionen im Inneren ungehindert ausbreiten. Dabei spielte der Standort Taiyuan, wo sich die Macht Li Yuans und seiner Anhänger konzentrierte, eine entscheidende Rolle. Li Yuan bezeichnete seine Truppen als „rechtschaffene Armee" (*yibing*), um so ihren Anspruch gegen die Sui anzumelden. Nach fünfwöchiger Belagerung wurde Chang'an im Winter 617/618 von den Truppen Li Yuans eingenommen. In Chang'an wurde sogleich eine straffere Verwaltung eingeführt.

Nachdem Li Yuan die andere Hauptstadt Luoyang genommen hatte und er weite Gebiete kontrollierte, und nachdem es dann auch noch zu einer Vereinbarung mit den Osttürken gekommen war, dankte Yang You ab und bot Li Yuan die Herrscherinsignien an. Dieser lehnte, dem hergebrachten Ritual gemäß, dreimal ab, bevor er annahm. Sechs Tage später, am ersten Tag des neuen Zyklus (das war am 1. Tag des 5. Monats), bestieg Li Yuan formell den Thron und verkündete eine Amnestie. Damit begann die Tang-Dynastie, die bis zum Jahre 907 bestehen sollte. Nicht alle Dynastiewechsel verliefen so, aber untypisch war er nicht.

Bei den wechselnden Allianzen jener Zeit ist auch zu berücksichtigen, daß für die damals herrschenden Familien noch nicht der später so wichtige Wert der Loyalität (*zhong*) bestimmend war. Ihnen ging es vielmehr um die Erhaltung der sozialen Ordnung und der Macht und des Status der Familien. Stärker als der Gedanke einer einheitlichen Dynastie waren regionale Interessen; einzelne Machthaber versuchten dabei durch Bündnisse, zum Teil auch mit benachbarten Nomadenstämmen, ihre Position zu stärken. Es war auch solchen Allianzen zu verdanken, daß nach der Gründung der Tang-Dynastie der berühmte Führer der Osttürken nördlich des Ordos-Bogens, Baghatur shad, zu einem der größten Feinde des Reiches wurde.

Reorganisation und Befriedung des Reiches

Die ersten Jahre der Tang-Zeit waren eine Zeit fortgesetzter Unruhen, aber auch innerer Konsolidierung; von den mehr als 200 Rebellenorganisationen mußte der später als Kaiser Gaozu kanonisierte Li Yuan die meisten an sich binden, um auf diese Weise seinen größten Rivalen zu begegnen. Ein probates Mittel hierbei war die Politik der Amnestien und der „Adoptionen" bei persönlicher Kontinuität selbst der alten Anführer. Trotz seiner als Milde verstandenen Geschicklichkeit im Umgang mit alten Rivalen und gegnerischen Gruppen war die Herrschaftszeit Gaozus geprägt durch militärische Kampagnen. Er mußte seine Macht durch zwölf stehende Armeen in der Umgebung der Hauptstadt sowie durch regionale Truppenkontingente sichern. Neben dem Mittel des Militärs bediente sich Li Yuan aber auch administrativer Maßnahmen zur Sicherung seines Herrschaftsgebietes. Er leitete eine Reorganisation der Verwaltung ein und teilte sein Reichsgebiet in zehn Großregionen, aus denen im 8. Jahrhundert dann 15 wurden; ihnen wurden Verwaltungs-, Finanz-, und Justizinspektoren zugeordnet. Insgesamt aber setzte die Tang-Dynastie auf den meisten Gebieten, wie dem der Strafgesetzgebung, des Agrarsystems, der Finanzverwaltung, des Heerwesens und des Erziehungs- und Prüfungswesens, die durch die vorhergehenden Staaten eingeleitete Entwicklung fort. Besonders folgenreich war die Schaffung von Akademien und höheren Schulen in den beiden Hauptstädten Chang'an und Luoyang und die Errichtung von Präfektur- und Unterpräfekturschulen. Das damit entstehende Bildungssystem führte zusammen mit den Staatsprüfungen allmählich zu einem grundlegenden Wandel in der Zusammensetzung der Elite.

Außenpolitik und Expansion

Nach der Befriedung des Kernlandes richtete sich das Augenmerk der Tang-Herrscher Taizong (reg. 626–649) und Gaozong (reg. bis 683 n. Chr.) auf die Randgebiete. Ihre Herrschaft ist durch große militärische Expansionen gekennzeichnet. Im Nordosten fügte das Tang-Heer den Osttürken, deren Hauptstadt im Orchon-Tal (südlich des Baikal-Sees) lag, eine große Niederlage bei, bei der die Tölös-Türken vernichtet wurden. Gestärkt durch Bündnisse mit den uighurischen Türken der Östlichen Mongolei sowie mit den Duyuhun und den Tanguten im Nordwesten, gelang es den Generälen, das Gaochang-Reich in Turfan zu beseitigen, das die Verbindung zwischen Chang'an einerseits und Transoxanien (Turkmenistan und Teile des Iran), wo chinesische Statthalter residierten, andererseits behinderte; auch die Westtürken im Ili-Tal konnten niedergeschlagen werden. Im Nordosten wurden auf der koreanischen Halbinsel das Reich Koguryô zerstört und Silla unterworfen.

3. Das Interregnum der Kaiserin Wu und das „Goldene Zeitalter"

Die Auflösung der mittelalterlichen Aristokratie

Ein Autor des 11. Jahrhunderts, Shen Gua, verglich China vor der Sui-Zeit mit Indien, weil es ihm so fremd erschien. Tatsächlich hatte sich nach dem Zusammenbruch der Han-Zeit eine Form der Aristokratengesellschaft herausgebildet, bei der die Zentrale und ihre Bürokratie erheblich an Bedeutung verloren hatten. Durch Vermischung jener Adelsklane im Norden mit der Führungsschicht der nach China eindringenden nomadischen Völker war es zu einer besonderen Form einer halbchinesischen Elite gekommen, die dann die Herrscherhäuser der Dynastien in Nordchina im 6. Jahrhundert stellte und aus der noch die Kaiser der Dynastien Sui und Tang hervorgingen.

Nach der Reichseinigung durch die Dynastien Sui und Tang

wurde die Aristokratie schrittweise, wenn auch nicht vollständig, durch die berufsmäßige Beamtenschaft verdrängt. Damit veränderte sich die Stellung des Herrschers, der durch die Beamtenschaft zunehmend kontrolliert wurde. Vor allem aber bildeten sich neue Formen von Öffentlichkeit, neue Berufsbilder und insgesamt eine neue Auffassung von der Abgrenzung des Bereichs des Politischen von dem des Privaten.

Neben der wachsenden Bedeutung des Kaiserhofes und damit der Hauptstadt für die Orientierung der Elite spielten wirtschaftliche Veränderungen sowie die Auseinandersetzungen mit den nördlichen Nachbarn einerseits und die Ausdehnung nach Süden andererseits eine wichtige Rolle. Die durch die Sui in Angriff genommenen Infrastrukturmaßnahmen hatten ja erst die Grundlage für eine Integration des Reiches geschaffen, und so ist die Tang-Zeit tatsächlich eine Zeit des Übergangs, in der sich auch die Schwäche bestimmter Institutionen, wie etwa die mangelhafte Steuereintreibung, besonders folgenreich auswirkte. Diese Mißstände beförderten übrigens das Ressentiment gegenüber der Schicht der Händler und Kaufleute, die infolge einer Ausweitung des Handels seit dem Ausgang des 8. Jahrhunderts zu erheblichem Reichtum gekommen waren. Die negative Einstellung gegenüber den Händlern trug in den folgenden Jahrhunderten dazu bei, die Ausbildung einer Geldwirtschaft zu behindern.

Der Aufstieg der Kaiserin Wu und der Versuch der Restauration der Tang

Im Gegensatz zu der Konsolidierungsphase des Tang-Reiches in der ersten Hälfte des 7. Jahrhunderts muß der häufige Wechsel der Regierungsdevise in der folgenden Zeit auch als Ausdruck einer unsteten und wechselnden Einflüssen ausgesetzten Politik der Regierung betrachtet werden. Die chinesischen Kaiser führten neben ihrem Familiennamen als Regierungsdevise einen Jahresnamen (*nianhao*). Diese glückverheißenden Devisen wurden nicht selten während einer Regierungsperiode geändert. Erst seit der Ming-Dynastie gilt nur noch ein einziges *nianhao* für die ganze Dauer der Herrschaft eines Kaisers. Im Jahre 648 soll der Planet Venus häufig bei Tage sichtbar gewesen sein. Dies wurde gedeutet als Anzeichen, daß bald eine Frau auf den Thron steigen werde. Wu Zhao (oder Wu Hou, Kaiserin Wu), die Tochter jenes Wu Shihuo aus Taiyuan, der Gaozu, den Dynastiegründer, unterstützt hatte, war um das Jahr 640 als Konkubine in den Palast des Kaisers Taizong gekommen. Sie wurde bald zur Nebenfrau von dessen Sohn, Kaiser Gaozong, dem sie zwei Söhne gebar. Daraus resultierte eine Konkurrenz zwischen der kinderlosen Kaiserin Wang und Wu Zhao. Nach langen Streitereien und Verhandlungen wurde die Kaiserin im Jahr 655 beschuldigt, auf den Kaiser einen Giftanschlag versucht zu haben, und daraufhin abgesetzt. Ihr folgte Wu Zhao, und im Jahr 656 wurde ihr Sohn, Li Hong (652–675), zum Thronfolger ernannt. Bereits einen Monat nach ihrer Ernennung zur Kaiserin ließ sie die frühere Kaiserin Wang und die Konkubine Xiao Shufei mit abgeschnittenen Armen und Beinen in einem Weinfaß sterben, und 657 wurde Xu Jingzong (592–672) „ihr" Premierminister, der dies bis 670 blieb. Seit 660 war Wu Zhao die faktische Herrscherin des Reiches. Sie versuchte sich und ihrer Periode eine besondere Rolle zuzuweisen, indem sie sich und Gaozong „Himmlischer Kaiser" bzw. „Himmlische Kaiserin" (*tianhuang* und *tianhou*) nannte. Diesem Selbstverständnis entsprach eine seit einem Reformprogramm von 674 mit erheblichem Erfolg betriebene Politik zur Verminderung oder Beseitigung von Mißständen. Ihre Regierungsmaßnahmen betrieb Wu Zhao im wesentlichen durch ihre „Gelehrten vom Nordtor" (*beimen xueshi*), die eine Art selbständiges Sekretariat bildeten. Als Ende des Jahres 683 Gaozong starb, stand ihr der Weg zur Kaiserwürde offen. Nach einer fehlgeschlagenen Prinzenrevolte ließ Wu Zhao die Dynastie Zhou ausrufen, die von 690 bis 705 bestand. Im ersten Monat des Jahres 705 drangen einige Verschwörer mit Gewalt in den Palast ein, töteten die engsten Vertrauten der Wu Zhao und setzten Zhongzong (656–710), der 684 regiert hatte, wieder ein; Ruizong, dessen Bruder, der bereits in der Zeit von 684 bis 690, unter der Vormundschaft seiner Mutter, die Kaiserwürde innegehabt hatte, folgte ihm in den Jahren 710–712. Die Zeit von 684 bis 712 wurde später als „Interregnum" betrachtet.

Unter der Herrschaft Wu Zhaos bestand für die höchsten Staatsstellen eine ständige Unsicherheit wegen ihrer persönlichen Intervention. Unter dem Aspekt der Sicherung der Zentralisierung und des Interesses am Machterhalt der Tang war die Herrschaft Wu Zhaos, die möglicherweise niemals geplant hatte, den Li-Klan abzusetzen, erfolgreich. Unter Zhongzong (Li Zhe, reg. 684 und 705–710) und Ruizong (684–690 u. 710–712) kam es zu einer Restauration der Tang, die dann unter Xuanzong (Li Longji) fortgesetzt wurde, der von 712–756 herrschte und damit am längsten von allen Tang-Herrschern die Kaiserwürde innehatte. Die erste Zeit seiner Herrschaft, insbesondere die Jahre 714–720, war eine Zeit der Reformen, die vor allem von Yao Chong betrieben wurden. Dieser wie auch andere wichtige Minister im ersten Jahrzehnt der Herrschaftszeit Xuanzongs, etwa Song Jing, waren durch das Prüfungssystem aufgestiegen und hatten bereits unter der Kaiserin Wu gedient.

4. Religiosität der Massen und die Stellung der Religionen

Die Sensibilität der Bevölkerung Chinas für das Übernatürliche und damit das religiöse Leben überhaupt ist, bei allen regionalen und schichtspezifischen Unterschieden, zu allen Zeiten stärker gewesen, als dies die Rede von der Diesseitsbezogenheit der Chinesen vermuten läßt. Mobilisierung von zumeist an religiöse Elemente gebundenen Heilserwartungen oder Ängsten fiel dazu besonders begabten Anführern oder Demagogen dann immer wieder besonders leicht, wenn hinreichend große Unzufriedenheit unter der Bevölkerung vorhanden war. Was in der neueren Geschichtsschreibung unter dem Begriff der Bauernaufstände (*nongmin zhanzheng*) subsumiert wird, gehört zum überwiegenden Teil in diese Kategorie. Auch Laienzirkel und durch Riten und Verabredungen zusammengehaltene Verbände sind nur vor dem Hintergrund der verbreiteten Religiosität zu verstehen. Dies gilt auch für seit der Song-Zeit bekannte religiöse Laienvereinigungen, deren bekannteste die „Weiße Lotus Sekte" ist.

Die Aufstände der Han-Zeit ebenso wie andere ähnliche Strömungen in den folgenden Jahrhunderten waren regionale Ereignisse gewesen, und es ist eine der entscheidenden Veränderungen, die China zwischen der Han-Zeit und der Song-Zeit erlebte, daß dieser religiöse Partikularismus derart verstärkt wurde, daß die meisten Gottheiten nur noch lokale und dazu keine wirklich dauerhafte Funktion erhielten und somit für den Staat in der Regel ungefährlich wurden. Die wenigen zu reichsweit gültigen Gottheiten erhobenen Gestalten und ihre Kulte dagegen konnten vom Staat weitgehend kontrolliert werden. Gleichwohl gab es eine Reihe sich ausbreitender lokaler Kulte, die leicht zu Herden regionaler Unruhe werden konnten und daher als besonders gefährlich gelten mußten. Gegen solche Kulte richteten sich dann seit der Song-Zeit zunehmend Stimmen der Beamtenschaft, und es ist das besondere Merkmal dieser Dynastie, daß sie bereits in ihrer Gründungsphase erhebliche Anstrengungen zur Unterdrückung lokaler Kulte und staatsgefährdender Schriften unternahm. Sie stellte den Buchdruck unter staatliche Aufsicht und begründete damit eine bis in die Gegenwart wirkende Tradition von Zensur und Kontrolle. Die Mitglieder der bürokratischen Elite scheuten sich nicht, Elemente des Magischen für ihre Interessen zu instrumentalisieren. Bei dieser Entwicklung hin zu einer Zähmung des religiös motivierten Protestes spielte der Buddhismus eine besondere Rolle. In dem Maße nämlich, in dem nicht nur im Norden in den Herrschaftsgebieten der von Steppennomaden-Fürsten regierten „Fremddynastien", sondern auch im Süden der Kaiserhof seinen Anspruch auf alleinige Legitimität und die Unterordnung aller unter den Primat des Kaisers durchsetzte, mußte sich auch der Buddhismus diesen Zwängen beugen. Nicht von ungefähr leisteten gerade die Auseinandersetzungen über die Stellung des Buddhismus, die in der Zeit vom 4. bis zum Beginn des 7. Jahrhunderts geführt wurden, den argumentativen und legitimatorischen Beitrag zur Erreichung dieses Zieles. Insbesondere die von Daoisten unterschiedlicher Ausrichtung, aber auch von Angehörigen der Bürokratie entfachten Auseinandersetzungen mit den Buddhisten drehten sich bald nur noch um die Frage, welche Lehre der Staatsordnung am ehesten von Nutzen sein könne.

Hierin zeigt sich eine Wendung, die Ausdruck der grundlegenden Veränderungen während der Tang-Zeit ist. Um die Mitte des ersten Jahrtausends n. Chr. hatte sich eine neue Form des Ritualismus durchgesetzt. Es kam nämlich nunmehr nicht so sehr auf die Quantität des Dargebrachten und die orgiastische Begeisterung an, damit die Opfer wirksam waren, sondern lediglich und ganz entscheidend auf die korrekte Ausführung des Rituals. Im Laufe der Zeit hatten sich die Staatsrituale zu einer öffentlichen Veranstaltung entwickelt. Ausdruck dieser neuen Öffentlichkeit sind auch die riesigen Kaisergrabanlagen der Tang-Zeit, in denen verdienstvollen Anhängern Gräber zugewiesen wurden. Auf diese Weise bildeten sich „politische Familien", und nicht blutsmäßige Abstammung, sondern orthodoxe Nachfolge wurde das Kriterium der Zugehörigkeit. In der Berufung auf den Himmel im Kaisertitel durch den Tang-Kaiser Gaozong und die Kaiserin Wu (*tianhuang*, *tianhou* im Jahre 674) kommt ein universaler Herrschaftsanspruch zum Ausdruck. Eine Verschiebung und Differenzierung der Öffentlichkeiten läßt sich auch daran ablesen, daß nach der Tang-Zeit, auch im Zuge eines Rationalisierungsprozesses, die Bedeutung von Omina und sonstigen irrationalen Elementen in der Politik des Kaiserhofes abnahm.

Urbanisierung und Stadtgott-Tempel

Bei der Verschiebung in der Auffassung von Geistern und übernatürlichen Erscheinungen, deren Verhältnis zueinander sich ja bereits in der Novellistik der späten Tang-Zeit anders darstellt als noch in den Wundergeschichten des frühen chinesischen Mittelalters, spielen auch der Bevölkerungszuwachs und die Städtebildung eine Rolle. Während im mittelalterlichen China der Unterschied zwischen Stadt und Land nicht so erheblich war, entwickelte sich offenbar in der Zeit des Übergangs zur Song-Dynastie ein neues städtisches Selbstbewußtsein, das seinen Ausdruck in der Errichtung von Stadtgott-Tempeln fand. Diese Stadtgott-Tempel, deren Unterhalt zu einem Teil von der Zentralregierung zu finanzieren war, wurden zum identitätsstiftenden Zentrum der Städte. Verehrt wurden als Patrone verdiente Generäle, aber auch solche Personen, die einmal als illoyale Aufständische hingerichtet worden waren und deren wiederkehrender und Unheil bringender Geist durch die Errichtung eines Erinnerungstempels beruhigt wurde.

Die Stellung der Religionen

Die ethnische Vielfalt und kulturelle Weltoffenheit der Tang-Zeit brachte auch einige zunächst fremde Religionen und religiöse Lehren nach China. In erster Linie an den Endpunkten der großen Fernhandelswege, wie etwa Chang'an, wurden diese Religionen praktiziert und bildeten sich Gemeinden. Neben manichäischen Gemeinden, deren Anhänger wohl vor allem Uighuren waren, gab es Nestorianismus, Zoroastrismus und jüdische Gemeinden. Trotz kosmopolitischer Züge der Tang-Gesellschaft blieb aber das Herrscherhaus an der Kontrolle der Religionen interessiert. Als im Jahre 621 und dann wieder im Jahre 624 der Hofastrologe (*taishiling*) Fu Yi Throneingaben gegen den Buddhismus einreichte, kam es 626 zu ersten Maßnahmen zur Einschränkung der buddhistischen Tempel und Klöster; so wurde die Zahl der buddhistischen Tempel in der Hauptstadt von 120 auf 3 reduziert. Wie sehr allerdings solche Schritte mit Fraktionskämpfen und den wechselhaften Interessenlagen der jeweiligen Kaiser zusammenhängen, zeigt der Umstand, daß Tang Taizong diese Maßnahme bereits nach drei Monaten wieder rückgängig machte. Die wohl folgenreichste Entwicklung innerhalb des Buddhismus der Tang-Zeit war die Ausbildung des *Chan*-Buddhismus (jap.: Zen), die auch als eine Folge der sozialen Bewegungen und der Auflehnung gegen Traditionen der Adelskultur zu verstehen ist. Die zentrale Botschaft war die Betonung der Meditationspraxis.

*Der Verkauf von Ordinationsscheinen und die
Religionsverfolgungen um 840*

Die Regierung des Tang-Reiches mußte vor allem Finanzmittel gewinnen, um die Militärausgaben bestreiten zu können. Erstmals im Jahre 755 wurden Berechtigungsscheine zur Mönchsordination verkauft. Diese Maßnahme hatte großen Erfolg, und im Jahre 757 beantragten allein in der Gegend um die Hauptstadt Chang'an mehr als 100 000 Personen einen solchen Berechtigungsschein. Mindestens ebenso folgenreich für die Entwicklung des Buddhismus in China wie die Ausgabe von Mönchszertifikaten war aber die Tatsache, daß durch die Bürgerkriegswirren der Zeit zwischen 755 und 763 in und um die Hauptstädte Luoyang und Chang'an die Zentren der wichtigsten Schulen zerstört, die Mönche zerstreut und die Lehrtraditionen weitgehend unterbrochen worden waren. Zudem hatte die Patronage des Buddhismus durch einzelne Militärgouverneure, die im Zuge der das Reich erschütternden An Lushan-Rebellion die eigentlichen Inhaber der Macht in China geworden waren, dazu geführt, daß im Gegensatz zu den früheren elitistischen und volksfernen Lehren der Hauptstadtschulen sich nunmehr eher volksnahe oder volkstümliche und mehr an das schlichtere Gemüt gerichtete Lehren in den Vordergrund schoben.

Im Jahre 842 wurden einschneidende Maßnahmen gegen die Buddhisten unternommen. Dies war vor allem auf Li Deyu zurückzuführen, den Anführer einer der beiden Fraktionen bei Hofe, der bereits seit Jahren von verschiedenen Ämtern aus Religionsverfolgungen, nicht nur gegen die Buddhisten, sondern auch gegen andere – in seinen Augen heterodoxe – Volkskulte betrieben hatte. In den folgenden Jahren wurde eine Vielzahl von Maßnahmen gegen die Buddhisten, aber auch gegen ausländische Religionen, an erster Stelle gegen den Manichäismus, durchgeführt, von Laisierungen über Konfiskation oder Beschränkung von Kloster- und Mönchseigentum bis zum physischen Vernichten ganzer Mönchsgruppen. Die Verfolgung verschärfte sich noch, seit Kaiser Wuzong im Jahre 844 wieder unter den Einfluß des Daoisten Zhao Guizhen geraten war. Alle Volksfrömmigkeit, die sich dem Buddhismus zuwandte, wurde verboten. Dahinter stand sicherlich auch die Absicht der Daoisten, das Heilsmonopol zu erringen. Ihren Höhepunkt erreichte die Verfolgung im Jahre 845, als Wuzong im dritten Monat zwei Edikte veröffentlichte, denen zufolge sämtliches Klostereigentum, einschließlich der Sklaven, in Staatsbesitz überzugehen habe und ferner keine Person unter 40 Jahren im Stande eines Mönches bzw. einer Nonne sein bzw. bleiben dürfe.

Im achten Monat des Jahres 845 rechtfertigte Wuzong nochmals seine auf die Ausrottung des Buddhismus gerichtete Politik und brüstete sich seiner Erfolge:
4 600 Klöster aufgelöst,
260 500 Mönche und Nonnen laisiert,
40 000 Kapellen und Einsiedeleien zerstört,
Dutzende von Millionen *qing* (ein *qing* entspricht ca. 6,7 Hektar) fruchtbaren Ackerlandes,
150 000 ehem. Sklaven in die Steuerregister aufgenommen.

Doch bald ereilte Wuzong ein früher Tod – er war noch keine 32 Jahre alt –, und mit seinem Nachfolger, Xuanzong (reg. 846–859), der ein Anhänger des Buddhismus war, wurde die Religionspolitik des Reiches wieder geändert.

Das Verhältnis von Buddhismus und Staat, so wie es uns in der offiziellen Geschichtsschreibung, aber auch in der buddhistischen Geschichtsschreibung und namentlich der buddhistischen apologetischen Literatur gegenübertritt, war in der Tang-Zeit von zunehmender Kontrolle der Religionsangelegenheiten durch den Hof bzw. eine staatliche Behörde gekennzeichnet. Dabei war das Ausmaß der Kontrolle, aber auch der Förderung oder der Unterdrückung davon abhängig, welche Fraktion gerade die Oberhand hatte, ob sie etwa unter dem Einfluß daoistischer Kreise stand, und auch davon, auf welche Weise sich der jeweilige Herrscher zu legitimieren trachtete. Die wechselhafte Politik des Hofes jedoch gegenüber dem Buddhismus wie dem Daoismus führte zu einer dauerhaften Auflösung bzw. Verhinderung dessen, was man als „Bekenntnis" hätte bezeichnen können. Der so immer wieder hergestellte

Zustand religiöser Beliebigkeit bildete aber zugleich die beste Voraussetzung für das Aufflammen neuer Kulte. Mit der allmählichen Durchsetzung des Primats des Himmelssohnes gegenüber den Autonomiebestrebungen der Mönchsgemeinde und der Durchsetzung des das Einheitsreich erst ermöglichenden Zentralstaatsideals durch die Installierung einer im Prinzip nach Leistungskriterien rekrutierten Beamtenschaft wurden konkurrierende Welt- und Lebensentwürfe abgewertet und die restlichen Elemente von Frömmigkeit auf die Ebene des unverbindlichen Kultes abgedrängt.

5. Neue Reiche am Rande der Tang-Herrschaft

China als Vorbild für seine Nachbarn

Obwohl die chinesische Kultur in jener Zeit nicht nur zahlreiche Kenntnisse sowie Handelsgüter und Kulturpflanzen aus dem Westen übernahm, sondern auch dorthin ausstrahlte, was etwa zur Verbreitung der Kenntnis der Papierherstellung führte, die über die arabische Welt und Spanien schließlich (im 13. Jh.) bis nach Italien gelangte, wurde China doch vor allem für seine östlichen Nachbarn das große Vorbild, für Japan, aber auch für das Silla-Reich auf Korea. Hinweise auf die engen Kontakte Chinas mit anderen Ländern finden sich nicht zuletzt auf dem Gebiet der Religionskontakte; so ist die Existenz nestorianischer und manichäischer Gemeinden an den östlichen Ausläufern der Seidenstraße ebenso erwähnenswert wie die Ausstrahlung des chinesischen Buddhismus nach Korea und Japan. Von „Nestorianern" am chinesischen Kaiserhof ist im Jahr 635 die Rede, und besondere Berühmtheit hat die nestorianische Stele von 781 in Chang'an (Xi'an) mit der in Stein gemeißelten Inschrift erlangt.

Der Einfluß bzw. die Nachwirkungen der Fremdherrschaft in Nordchina hatten dazu geführt, daß noch Tang Taizong als Herrscher über die Steppe ebenso wie über China angesehen wurde. Dies änderte sich unter seinen Nachfolgern. Und es ist beachtlich, daß es gerade Steppenvölker, insbesondere die

Uighuren, waren, welche die Stabilisierung des Reiches späterhin garantierten, und daß nach deren Sturz im Jahr 840 dann auch das Reich der Tang zerbrach. Die Außenbeziehungen des Tang-Reiches knüpften an den Außenbeziehungen der vorhergehenden Teilstaaten an, doch bewirkte die neue Zentralität neue Reisewege der Gesandtschaften. Vor allem übte der Glanz der Hauptstadt der Sui- und der Tang-Dynastie, Chang'an, nachhaltigen Einfluß auf die Nachbarvölker und -staaten, insbesondere aber auf die japanische Politik aus. Der Herrscher Japans, Shôtoku Taishi, nahm sich das Sui-Reich zum Vorbild, über das er ausführliche Nachrichten von den in den Jahren 600 und 607, 608 und 609 nach China gesandten Delegationen erhalten hatte. Damit wurde nicht nur eine langandauernde Beziehung begründet, sondern Japan wurde ungeachtet aller seiner Eigenheiten in den chinesischen Kulturkreis einbezogen. Neben anderen seewärtigen Beziehungen, etwa der Expedition Sui Yangdis nach Taiwan, richtete sich die Aufmerksamkeit doch hauptsächlich auf den Nordosten und Norden, insbesondere auf die türkischen Tujue, die dort im 6. Jahrhundert zu Anführern einer neuen Föderation geworden waren.

Das erste türkische Reich

Die Bedrohung durch die Tujue hatte sich nach Einigung des Nordens unter der Nördlichen Zhou-Dynastie verstärkt, und auch die Aufspaltung der Türken im Jahre 582 in zwei Konföderationen bedeutete nicht deren Schwächung. 582 kam es sogar zu Türkeneinfällen, in deren Folge Verträge abzuschließen waren (584) bzw. Heiratsverbindungen durch Übersendung einer chinesischen Prinzessin an den türkischen Khan (590) eingegangen werden mußten. Nach einem neuerlichen Angriff im Jahre 600 gelang es den Tujue sogar, bis in die Nähe von Chang'an vorzustoßen, ohne allerdings die Stadt einzunehmen. Als sie sich jedoch Aufständen von ihnen beherrschter Stämme gegenüber sahen, nahmen sie Zuflucht zum Tang-Reich, so daß das Tang-Reich vorübergehend eine Politik der Koexistenz und teilweisen Integration verfolgen konnte.

Mit der Auflösung der Macht der Osttürken kam es zu einem Machtvakuum im Norden und Nordosten Chinas, wodurch eine neue Phase der Außenpolitik, nämlich die der großen Tang-Expansion des 7. Jahrhunderts, möglich wurde. Im Gegensatz zu den kriegerischen Auseinandersetzungen nach Norden hin wurden mit den Kleinreichen im Nordwesten auf friedlichem Wege Tributbeziehungen aufgebaut bzw. wiederaufgenommen. Im Zuge der Ausdehnung nach Nordwesten erlangte das Tang-Reich Einfluß auf die Oasen des Tarimbeckens, u. a. Charachotscho (Gaochang) nahe dem modernen Turfan in Ost-Xinjiang, und erstreckte seinen Einfluß bis in das nördliche Afghanistan und nach Persien. Dabei war es nicht zuletzt die Hilfe des türkischen Militärs, die es der Tang-Dynastie ermöglichte, das Reich in einem Maße auszudehnen, wie dies weder Qin Shihuangdi noch Han Wudi gelungen war. Die Türken wurden ein Teil der Tang-Administration und verschafften China so eine höchst effektive Pufferzone. Doch nach dem Tod des zweiten Tang-Herrschers zerfiel dieses System, und die Osttürken vereinigten sich wieder und begannen erneut, das Tang-Reich anzugreifen. Erst 721 kam es zu einem Frieden zwischen dem Türkenreich und China, bei dem sich der chinesische Hof zu hohen Tributleistungen verpflichtete.

Das Reich der Tibeter und das südliche Köngreich Nanzhao

Die Einigungspolitik der Dynastien Sui und Tang wirkte sich auf den Staatenbildungsprozeß auf der koreanischen Halbinsel aus, und auch die Ausdehnung des Reichs der Tibeter in der Mitte des 7. Jahrhunderts war zum Teil eine Folge der chinesischen Reichseinigung. Von einer einheitlichen staatlichen Organisation der Völker des tibetischen Hochlandes kann in den Jahrhunderten vor der Einigung durch die Sui noch keine Rede sein. In den folgenden Jahrzehnten aber wurde das Tibeterreich zu einem der gefährlichsten Rivalen des Universalitätsanspruchs der Tang-Kaiser. Die Entsendung von Prinzessinnen an benachbarte Staaten war ein seit der Han-Zeit bekanntes Mittel der Außenpolitik. Von diesen insgesamt 23 sogenannten *heqin*-Ehen bewirkte die von 710 zwischen Tang-China und Tibet vorübergehend ein Abflauen der Feindseligkeiten. Als Folge des Einfalls der Tibeter in die Oasenzonen zwischen 670 und 678 hatte China den Zugang nach Zentralasien zunächst vorübergehend und dann, im Jahre 791, für lange Zeit an die Tibeter verloren. Als die Tibeter sich 860 zurückziehen mußten, traten türkische Völker an deren Stelle, im östlichen Teil die buddhistischen Uighuren, im Westen besonders die Qarluq. Das Königreich Tibet ging dann mit der Ermordung des antibuddhistischen Königs Glang-dar-ma im Jahr 842 unter. Vom 9. bis zum 13. Jahrhundert gab es keinen einheitlichen Staat in Tibet.

Auch eine dauerhafte Beherrschung des Südwestens scheiterte zunächst an den Interessen des erstarkten Tibetischen Königreiches. 751 bereits hatte sich das selbständige Reich Nanzhao auf dem Gebiet des heutigen Yunnan den Tibetern unterstellt; allerdings wechselte es im Jahr 794 wieder die Seiten. Nanzhao, eine Konföderation von sechs ihrer ethnischen Zugehörigkeit nach tibeto-burmanischen Stammesgruppen, hatte von Anfang an Tributgeschenke an den Tang-Hof gesandt und in seiner inneren Organisation zahlreiche Elemente der chinesischen Herrschaftsorganisation übernommen. Im Jahre 794 kündigte Nanzhao formal die Beziehungen zum Königreich der Tibeter und erklärte sein Vasallenverhältnis zu China.

Die Ausdehnung des chinesischen Herrschaftsgebietes war aber nicht von Bestand, da trotz der verbesserten Infrastruktur die Distanzen zu groß waren – z.B. betrug die Entfernung zwischen Kashgar im westlichen Tarimbecken und Chang'an 5000 km! –, was zu Kommunikationsschwierigkeiten führte und die Verwaltung sehr kostspielig werden ließ. Die Reichseinigung und die folgende Erweiterung bzw. Öffnung Chinas hatte nach anfänglichen restaurativen Tendenzen zu einer kulturellen Blüte auf allen Gebieten und zur Herausbildung neuer Standards geführt. Aus diesem Zusammenhang sind auch Ansätze zu kritischer Geschichtsschreibung zu verstehen, die insbesondere mit dem Namen Liu Zhijis (661–721) verknüpft sind.

6. Bürokratisierung, Regionalismus und das Ende der Tang-Herrschaft

Rechtsordnung

Die Rechtsbücher der Sui- und Tang-Zeit, die sich auf eine bereits lange Tradition von Gesetzeskodifikationen stützen konnten, in denen vor allem strafrechtliche Tatbestände abgehandelt werden, zeigen ein hohes Maß an Knappheit und Konzentration und spiegeln damit das bereits erreichte hohe Niveau juristischer Rationalität wider. Der erste Rechtskodex, der aus der chinesischen Rechtstradition vollständig erhalten ist, ist das *Tanglü shuyi* von 624. Ausdruck für die Rationalisierung ist auch Du Yous (735–812) „Durchgängige Statuten" (*Tongdian*) betitelte Enzyklopädie zur geschichtlichen Entwicklung von Riten und staatlichen Institutionen, die eine eigene Tradition von Institutionengeschichtsschreibung begründete.

Verwaltung und Militär

Die Verwaltung der Tang-Zeit hatte bereits im 7. Jahrhundert ihre volle Ausprägung erreicht. Sie bestand aus vier Hauptabteilungen: erstens der Staatskanzlei, der sechs Ministerien unterstellt waren (darunter Ministerium für Personalwesen, Finanzen, Riten und öffentliche Arbeiten), zweitens der Kaiserlichen Kanzlei, drittens dem Großen Kaiserlichen Sekretariat sowie viertens dem Staatsrat, dem neben dem Kaiser hohe Beamte und die Minister angehörten. Trotz starker Zentralisierung und einiger überregionaler Ämter erledigten die nachgeordneten Ämter in den einzelnen Regionen (*dao*, später: *lu*) bzw. unterhalb derselben in den Präfekturen (*zhou* bzw. *fu*) mit jeweils zwischen zwei und zwölf Kreisen die eigentliche Verwaltungsarbeit. Die Zahl der Präfekturen betrug etwa 260 mit durchschnittlich jeweils 240 000 Einwohnern. Für das Jahr 657 ist eine Zahlenangabe von 13 465 Beamten bei einer Bevölkerung von etwa 50 Millionen überliefert. Diese seit der

Reichseinigung typische Form der Territorialverwaltung blieb das Rückgrat der Herrschaftsausübung in China.

Innerhalb des Heeres, das unter den Nördlichen Zhou noch ein Berufsheer gewesen war, herrschte eine Art Arbeitsteilung. Bauern dienten als Fußtruppen und zur Versorgung, während die Kavallerie aus Adligen, Verbündeten und Mischlingen gebildet wurde, was auch mit den Reiterei-Traditionen dieser Gruppen zusammenhängt. Strukturell wurde das Tang-Militärwesen durch das unter den nördlichen Dynastien entwickelte und von dort übernommene System der Milizeinheiten (*fubing*) geprägt. Die Offiziere der *fubing*-Einheiten entstammten den großen sogenannten Guanzhong-Familien aus dem Nordwesten, die zumeist eine militärische Tradition hatten und zum Teil nomadischen Ursprungs waren. Diese ca. 600 *fubing*-Einheiten à 800 bis 1200 Mann waren an wichtigen Stellen postiert. Die Mitglieder dieser Milizen, nicht aber deren Angehörige, waren von Steuern und Dienstleistungen befreit. Ursprünglich und noch in der frühen Tang-Zeit sind wohl eher Angehörige der Oberschicht für diesen Milizdienst ausgewählt worden, dessen wichtigste Pflicht in einem einmonatigen Dienst in der kaiserlichen Garde in der Hauptstadt bestand. Dies ließ sich nur realisieren, weil ein Fünftel der *fubing*-Einheiten in unmittelbarer Umgebung der Haupstadt und mehr als 400 Einheiten nicht weiter als 500 *li* (1 *li* entspricht in der Tang-Zeit ca. 0,53 km) von Chang'an und Luoyang entfernt stationiert waren. Dadurch wurde ein Beziehungsgeflecht zwischen Zentrum und Außenstellen geschaffen, dessen Unterhalt wegen der nur zeitweiligen Verpflichtung zum Dienst in den *fubing*-Einheiten relativ kostengünstig war. Neben den Milizen waren in der Hauptstadt aus Abkömmlingen der Aristokratie rekrutierte Kadettenkorps sowie einzelne Wacheinheiten stationiert. Daneben gab es die Nordarmee an der Nordseite des Palastes, entstanden aus Resten der Armeen des Dynastiegründers Gaozu und seines Nachfolgers Taizong, die zu Militärfamilien geworden waren und ohne die kein Staatsstreich zu machen war. Unter Kaiserin Wu und dann unter Zhongzong wurde ihre Anzahl erheblich erhöht.

Das Ansehen der Wachen nahm aber allmählich ab, und es wurde immer weniger attraktiv, zum *fubing*-Dienst herangezogen zu werden. 749 wurde mit einem Erlaß die Entsendung von Milizen in die Hauptstadt eingestellt. An den Grenzen befanden sich neben kleineren ständigen Einheiten Expeditionsarmeen, die sich zum Teil aus *fubing*-Mitgliedern, aber auch aus Angehörigen verbündeter Völker und aus in nicht vom *fubing*-System erfaßten Gebieten Eingezogenen zusammensetzten. Bereits seit Mitte des 7. Jahrhunderts waren nach und nach größere dauerhafte Armeen (*jun*) in den Grenzgebieten postiert und einem Kommandanten unterstellt worden, womit eine Stellung begründet wurde, die unter Xuanzong (reg. 712–756) in der Institution des Militärgouverneurs (*jiedushi*) mündete. Die so gewonnene militärische Stärke ermöglichte unter Xuanzong eine weitere Ausdehnung nach Nordwesten und eine Zurückdrängung der Khitan im Nordosten. Die Versorgung der Truppen blieb jedoch ein Problem, dem mit Militärkolonien (*tuntian*) und durch staatliche Getreideaufkäufe zu festgelegten Preisen nur unvollständig begegnet werden konnte.

Der Aufstand des An Lushan

Trotz aller Reformbemühungen war der Zerfall des Reiches nicht aufzuhalten. Mit der Einsetzung ständiger Militärgouverneure (*jiedushi*) seit 710 bis 711 wurde die Voraussetzung für eine Aufsplitterung der Macht geschaffen. Die Zeit nach 720 sah eine Reihe von Veränderungen, die in der diktatorischen Herrschaftsausübung des von 736 bis 752 dominierenden Kanzlers Li Linfu gipfelten. Doch für die Beurteilung der späten Herrschaftszeit Xuanzongs durch die Geschichtsschreibung spielte weniger die Kanzlerschaft Li Linfus eine Rolle als vielmehr sein Verhältnis zu einer Konkubine. Diese, Yang Yuhuan, soll im Jahre 741 ihren Mann, Prinz Shou, verlassen haben und daoistische Priesterin geworden sein. 745 übernahm Xuanzong sie dann mit dem Titel „Guifei" („Geschätzte Konkubine") in seinen Harem. Xuanzong stand seither unter dem Einfluß dieser einer Sichuan-Familie entstammenden Frau, der es gelang, immer mehr Posten mit Angehörigen ihrer Familie zu besetzen. Einer davon war Yang Guozhong, der von 752 bis 756 die Politik des Reiches wesentlich gestaltete.

Nachdem es bereits seit längerem starke Spannungen zwischen den Militärgouverneuren (*jiedushi*) und der Zentrale gegeben hatte, kam es im Jahre 755 zum Aufstand eines dieser Militärgouverneure, des An Lushan. Noch vor Ablauf des Jahres 755 hatte An Lushan Luoyang eingenommen, und im folgenden Jahr ließ er, der seine Basis im Nordosten in der Gegend des heutigen Peking hatte, die Dynastie Große Yan ausrufen. Xuanzong zog sich nach Chengdu in Sichuan zurück, jedoch erst, nachdem er auf dem Weg dorthin nach dem Tode von Yang Guozhong zusehen mußte, wie Yang Guifei von den ihn begleitenden Truppen erdrosselt wurde. Der Thronfolger, sein dritter Sohn, der als Suzong (reg. 756–762) in die Geschichte einging, organisierte Truppen in Guanzhong und forderte die Hilfe der Uighuren, der Tibeter und anderer Stämme aus dem Tarim-Becken an. Mit deren Hilfe konnte dann zwar die Rebellion niedergeschlagen werden, doch kam es zu einem Verlust der Autorität der Zentrale, und faktisch war das Großreich seither zerbrochen. Die Uighuren breiteten sich in die Gegend der Provinz Gansu aus, und die seit 650 in Sichuan und Birma sich bildenden tibeto-birmanischen Fürstentümer hatten nun freiere Hand. Insbesondere konnte sich das Nanzhao-Königreich (Provinz Yunnan) seit 750 weiter ausdehnen.

Zentrifugale Tendenzen

Die zentrifugalen Tendenzen wurden durch die Militärgouverneure gefördert, von denen es am Ende der Tang-Zeit zwischen 40 und 50 gab und die zur Militarisierung der Provinzen beitrugen. Auch die wirtschaftlichen Veränderungen, der seit dem Ende des 6. Jahrhunderts allmählich sich vollziehende Verfall des Kleinbauerntums sowie die Verschiebung des wirtschaftlichen Zentrums vom Wei-Tal und der nordchinesischen Tiefebene in das Untere Yangzi-Tal – u.a. eine Folge zunehmenden Handels und veränderter Reisanbaumethoden wie der Züchtung von Setzlingen – führten zu regionalem Separatismus und Autonomiebestrebungen in den Provinzen. Ein Ausdruck dieser Tendenzen zur Machtauflösung war die sogenannte „Revolte der Vier Prinzen", bei der sich 782 vier Gouverneure verschworen und halbautonome Gebiete in Nord-China bildeten, die etwa 150 Jahre bestanden.

Diese Entwicklung konnte auch die Reformregierung des Kanzlers Wang Shuwen nicht stoppen, die im Jahre 805 n. Chr. fünf Monate an der Macht war und eine geplante Wirtschaft einführen wollte. Im Hintergrund vollzog sich eine grundlegende gesellschaftliche und geistige Veränderung, die mit dem Wechsel von der Devise „das Reich gehört einer Familie" (*tianxia wei jia*) zu der Devise „das Reich gehört allen" (*tianxia wei gong*) zu kennzeichnen ist. Der sich aus verschiedenen Ethnien der Liuchao-Zeit zusammensetzenden Tang-Elite galten Amt und Rang als „öffentliche Instrumente" (*gong qi*), die nicht aufgrund privater Gunst vergeben würden. Diese Vorstellung wurde zur geistigen Grundlage für das Prüfungssystem, das dann zur Ablösung eben dieser Elite durch neue Funktionärsschichten wesentlich beitrug. So blieb auch nach der An Lushan-Rebellion die Hauptstadt das erstrebte Ziel der Literatenbeamten.

Von entscheidender Bedeutung für das Selbstverständnis der Literaten der Tang-Zeit war die Einrichtung besonderer Bildungsinstitutionen, die auch auf die zunehmende Professionalisierung hinweisen, darunter ein 621 gegründetes „Kolleg für die Pflege der Literatur" (*hongwen dian*), ein „Kolleg der Versammelten Weisen" (*jixian yuan*, gegründet 725) sowie die Hanlin-Akademie (gegründet 738 n. Chr.). Die konfuzianische Gelehrsamkeit wurde in Schulen gepflegt, einer Hochschule (*taixue*) mit 500 Studenten, einer „Schule der Staatssöhne" (*guozi xue*) mit 300 Studenten und einer „Schule der Vier Tore" (*simen xue*) mit 1300 Studenten. Daneben gab es Akademien für Recht (*lü*) und Mathematik (*suan*). Eine weitere Schule, das „Kolleg zur Erweiterung der Literatur" (*guangwen xue*), wurde im Jahre 750 eingerichtet. Diese Institutionalisierung der Wissenschaft diente natürlich der Bindung aller intellektuellen und exegetischen Aktivitäten an den neuen Staat. Die Rolle der Lehrer wurde auch insoweit rechtlich abgesichert, daß Gewalttätigkeiten von Schülern gegen Lehrer strenger geahndet wurden als gleiche Handlungen gegenüber gewöhnlichen Personen.

Das Ende der Tang-Herrschaft

Im ausgehenden 9. Jahrhundert hatte die Zunahme der Macht der Eunuchen im Inneren Hof und die Rückkehr zahlreicher Mitglieder der alten Aristokratie in hohe Regierungsämter zu wachsenden Spannungen innerhalb der Bürokratie geführt. Seit der Herrschaft Wenzongs (827–840) war es in verschiedenen Gebieten des Reiches unter der Bevölkerung zu Unruhen gekommen, und eine wachsende Zahl beteiligte sich an illegalen Handelsunternehmungen (Salzschmuggel) und an Piraterie, so daß von einem endemischen Banditentum gesprochen werden kann. Im Jahre 875 begannen Aufständische in großer Zahl von Shandong aus, sich zu organisieren und plündernd durch das Land zu ziehen. Diese Rebellionen, die mit den Namen Wang Xianzhi und Huang Chao verbunden sind und in deren Verlauf auch die Hauptstadt Chang'an für zwei Jahre in die Hände der Rebellen fiel, dauerten bis ins Jahr 883. Der Tang-Hof zog sich nach Chengdu zurück, wo er bis 885 blieb. Die Truppen Huang Chaos sollen bei ihrem Einzug in Chang'an begeistert empfangen worden sein. Faktisch bestand die Dynastie Tang seit 885 n. Chr. nicht mehr, doch erst im Jahre 907 wurde sie formal beendet.

Der Machtverlust der Zentrale zeigte sich auch darin, daß die Provinzgouverneure nun ihre eigenen Präfekturbeamten einsetzten. Zhu Wen, ursprünglich ein Gefolgsmann Huang Chaos, der sich im Jahre 882 aber dem Tang-Heer unterworfen hatte, begründete im Jahre 907 die Dynastie Liang (907–923), die erste einer Serie von fünf Dynastien zwischen dem Zusammenbruch der Tang- und der Errichtung der Song-Dynastie. Li Keyong, einer der Generäle der Shatuo-Türken, dessen Vater bereits in die Familie Li aufgenommen worden war, verbündete sich im Jahr 905 mit den Khitan. Die Restauration der Tang unter den Shatuo-Türken fand zwar mit dem Tod Li Keyongs im Jahre 908 ein vorläufiges Ende; doch die weiter bestehende Allianz von Shatuo und Khitan übernahm im Jahre 923 die Liang-Dynastie Zhu Wens, rief die Dynastie Spätere Tang aus und eroberte in der Zeit ihres Bestehens (bis 937) weite Teile Nordost-Chinas sowie Sichuan. Damit war ein entscheidender Schritt zur Wiedervereinigung getan, die dann unter der Dynastie Song vollendet wurde. Nach dem Zusammenbruch der Späteren Liang behielten die Shatuo einen unabhängigen Staat in Shanxi, die Nördliche Han-Dynastie mit Taiyuan als Zentrum, die als einer der „Zehn Staaten" gilt.

V. Bürokratie und neuer Geist (907–1368)

1. Die Fünf Dynastien im Norden und der Süden

Das 10. Jahrhundert war eine Zeit des Umbruchs in ganz Ostasien. Die Zeit der „Fünf Dynastien" war gekennzeichnet durch politische Schwäche der Zentrale und wirtschaftliche Blüte in einzelnen Regionen. Politisch-militärisch waren die für den Verfall und den Untergang der Tang direkt Verantwortlichen die Militärgouverneure (*jiedushi*) gewesen. Während die ersten *jiedushi* aus dem Adel gekommen waren, rekrutierten sie sich bald zunehmend aus dem Offizierskorps des überwiegend zum Berufsheer gewordenen Militärs, wobei es auf Popularität, militärische Fähigkeiten und persönliche Autorität ankam.

Ein neuer Typ der imperialen Machtausübung

In den knapp 60 Jahren der Zeit der Fünf Dynastien zerbrach das *jiedushi*-System, und es bildete sich ein neuer Typ imperialer Machtausübung, wobei einzelne Elemente des *jiedushi*-Systems fortdauerten. Mehrfache Anstrengungen, die Macht der *jiedushi* zugunsten der Zentralmacht zu brechen, waren erfolglos geblieben. Im Laufe der Zeit der Fünf Dynastien wurde jedoch die unter den *jiedushi* entwickelte Form der Provinzorganisation auf den Palast und damit auf die Zentralregierung übertragen. Eine wichtige Rolle spielten dabei die Bemühung um gemischte Truppen, die aus Stammesangehörigen und Han-Chinesen bestanden (*fanhan*, „Grenz-und Hantruppen"), sowie der Propaganda-Slogan, die Tang restaurieren zu wollen. Der dritte Herrscher des Späteren Tang-Reiches, Li Congke (reg. 934–936), begründete die Institution der „Armee des Kaisers", die von der Späteren Jin-Dynastie (936–946) fortentwickelt wurde und den Niedergang der Macht der Provinzen beschleunigte. Der Krieg mit den Khitan (943–946) stärkte noch die Macht der Jin-Armee. Und unter der Han-Dynastie (947–950) war die „Armee des Kaisers" den Provinzarmeen dann bei weitem überlegen. Im Jahre 950, im 12. Monat, wurde Guo Wei von der Armee zum Herrscher einer Dynastie mit Namen Zhou erhoben. Dieser Guo Wei und sein Nachfolger Guo Rong ergriffen eine Reihe von Maßnahmen, um die Macht der Armeen zu kontrollieren. Dazu führten sie das Palastcorps (*tianqian jun*) ein, deren Kommandant, Zhao Kuangyin, dann im Jahr 960 die Song-Dynastie ausrufen sollte.

Die Fortdauer des Einheitsgedankens

Trotz der Aufspaltung des Reiches in selbständige Staaten, die nur die Realisierung einer seit der Mitte des 8. Jahrhunderts bestehenden faktischen Fragmentierung war, wurde eine zukünftige Wiedervereinigung von den Gebildeten ebenso wie in der populären Propaganda als selbstverständlich betrachtet. Die Orientierung der Norddynastien nach innen wurde durch den Verlust des Zugangs zu den zentralasiatischen Handelswegen und die Verlagerung des politischen und wirtschaftlichen Schwerpunkts nach Süden und Südosten verstärkt. Gegenüber dem nach Süden gerichteten Interesse der fünf aufeinanderfolgenden, zumeist in Kaifeng ansässigen Dynastien (Spätere Tang: Chang'an) im Norden verfolgten die zehn zum Teil nebeneinander existierenden südlichen Königreiche regionale Sonderinteressen. Bei diesen sogenannten „Zehn Staaten" handelte es sich um die Reiche Shu (891–965) in Sichuan (Früheres Shu, 891–925, und Späteres Shu, 925–965), Chu (896–963) in Hunan, Südliche Han (904–971) in Guangdong und Guangxi, Min (892–945) in Fujian, Wu-Yue (895–978) in Zhejiang, Wu (892–937) bzw. Südliche Tang (937–975) in Jiangsu, Anhui und Jiangxi (am unteren Yangzi-Lauf), Südliche Ping (907–963) in Hubei und den im Norden gelegenen Staat der Nord-Han (951–979) in Shanxi.

Wohlstand im Süden: Der Wu-Yue-Staat

Die Prosperität der Südstaaten läßt sich besonders gut an Wu-Yue (etwa die heutige Provinz Zhejiang) veranschaulichen, das aus 13 Präfekturen (*zhou*) bestand, die in 86 Kreise (*xian*) aufgeteilt waren. Wu-Yue war einer der reichsten Staaten mit ca. 550 700 Haushalten (*hu*), in dem ein System staatlicher Förderung von Landgewinnung und Wasserbau betrieben wurde. Der Gründer Qian Liu (852–932), der sich 878 bei der Verteidigung Hangzhous gegen die Huang Chao-Rebellen verdient gemacht und 897 die Revolte seines ehemaligen Vorgesetzten gegen die Tang-Dynastie vereitelt hatte, hatte 907 von Zhu Wen den Titel eines Prinzen (*wang*) von Wu-Yue erhalten, nachdem er bereits 902 Prinz von Yue und 904 Prinz von Wu geworden war. Qian Liu war nahe daran, ein eigenes unabhängiges Kaiserreich auszurufen, erkannte aber doch Zhu Wens imperiale Ansprüche an. Und da dieser Unterstützung brauchte, hofierte er seinerseits Qian Liu und sandte ihm z. B. im Jahre 905 zehn Polopferde und einen Jadegürtel. Umgekehrt stärkte der Tribut des Wu-Yue-Reiches, im Jahre 909 entrichtet, den Liang-Staat erheblich. Trotz der Verleihung zahlreicher Titel durch Zhu Wen an Qian Liu war Wu-Yue ein unabhängiger Staat, was sich daran zeigt, daß er eine eigene Außenpolitik betrieb und diplomatische Beziehungen zu den chinesischen Nachbarstaaten unterhielt, wobei auch Heiratsverbindungen eine Rolle spielten. Als im Jahre 955 der Staat Zhou den Staat Wu-Yue zu veranlassen suchte, mit Truppen gegen die Südliche Tang vorzugehen, entfachte dies eine lebhafte Diskussion in Hangzhou. 958 eroberte Zhou den Nordteil des Südlichen Tang-Reiches zwischen Huai und Yangzi, eine Gegend mit hoher Salzproduktion. Dadurch war zugleich der Kontakt zwischen Wu-Yue und dem Norden unmittelbar geworden. Als Qian Shu im Jahr 978 nach Kaifeng reiste, mit hohen Geldsummen und Waren als Tributgeschenken, war auch der Anschluß dieses Staates an die Song-Dynastie besiegelt.

2. Reiche am Rande

Liao

Die von den Khitan begründete Dynastie Liao (907/946–1125) war eines der „sinisierten Reiche" am Rande der chinesischen Kulturwelt. Im Jahre 907 hatte sich Apaoki (gest. 926), der Führer des Khitan-Volkes aus dem Klan Yelü, zum Kaiser (*Tianhuangdi*) erklärt und damit eine Dynastie chinesischen Typs begründet, die freilich nicht von Anfang an alle einer chinesischen Dynastie eigentümlichen Merkmale hatte. So wurde etwa erst 916 eine Regierungsdevise eingeführt. Und auch den Namen Liao, genannt nach einem Fluß in der Mandschurei, führte diese Dynastie erst seit 937. Die Beziehungen zu den anderen chinesischen Territorien waren vielfältig. So schwang sich Shi Jingtang (gest. 942), der Schwiegersohn des zweiten Kaisers der Späteren Tang und wie dieser ein Shatuo, mit Hilfe der Khitan zum Herrscher auf und gründete 936 die von manchen als pseudo-chinesisch bezeichnete Dynastie Jin. Dafür mußte er den Khitan Tribute zahlen und 16 Präfekturen in Nord-Hebei und Nord-Shanxi abtreten, die auch nach der Reichseinigung durch die Song-Dynastie nicht zurückgewonnen werden konnten.

Zur Zeit des Liao-Kaisers Liao Jingzong (969–982) griff Song Taizong, der zweite Song-Kaiser, Anfang 979 den Nördlichen Han-Staat an. Anschließend belagerte er Youzhou (das heutige Peking), doch wurde er von den Liao zurückgeschlagen. Damit hatte Taizong immerhin seinen Anspruch angemeldet, verlorenes Gebiet der Tang zurückzuerobern. Der 1005 unterzeichnete Friede von Shanyuan hielt dann mehr als 100 Jahre. Als zu Beginn des 12. Jahrhunderts die Liao-Dynastie in schweren Abwehrkämpfen gegen die ehemaligen Untertanen, die Dschurdschen, lag, sah der Song-Hof eine Möglichkeit, die 16 Präfekturen zurückzugewinnen und suchte ein gemeinsames Vorgehen mit Jin gegen Liao. Dann aber warfen die Jin den Song fortgesetzten Vertragsbruch vor, eroberten Peking und besetzten im Jahr 1127 Nordchina.

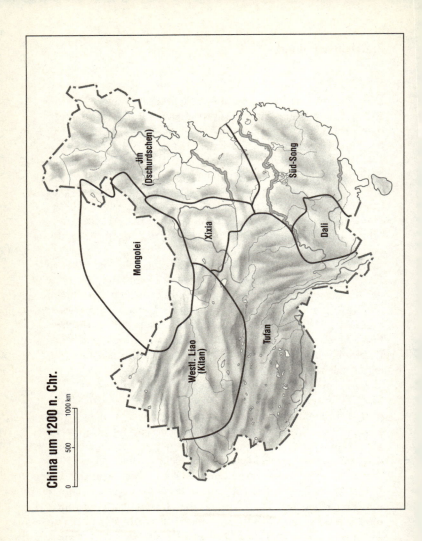

Das Tanguten-Reich Xixia

Am Nordwestrand der chinesischen Ökumene bildete sich im frühen 11. Jahrhundert ein von tangutischen Volksstämmen beherrschter neuer Staat namens Xia oder Westliche Xia (Xixia), der bis zur Unterwerfung durch die Mongolen im Jahr 1227 bestand. Die Führungsschicht dieses Staates bestand aus mit Xianbi vermischten Tanguten, die ihrerseits Nachkommen der Tabγac-Tuoba und der Tuyuhun mit einer tibeto-birmanischen Sprache waren, die der Sprache der Yi (Luoluo) in Südwest-China ähnlich ist. Im Jahre 1028 nahmen die Tanguten, aus dem Ordos-Gebiet kommend, zwei große Handelszentren ein, nämlich Wuwei, das bis dahin tibetisch gewesen war, und das lange von den Uighuren kontrollierte Zhangye. Im Jahre 1038 gaben sie ihrem über die Grenzen der heutigen Provinz Gansu hinaus sich erstreckenden Reich den Namen Xia, und nahe dem Gelben Fluß, stromabwärts von Lanzhou, bezogen sie ihre Hauptstadt.

3. Das Song-Reich – Beginn einer neuen Zeit?

Die im Jahre 960 ausgerufene Song-Dynastie war die Zeit der endgültigen Durchsetzung bürokratischer Verwaltung und formalisierter Beamtenrekrutierung, die Zeit der großen Orientierungsdebatten zu Grundfragen der Politik, der Philosophie und der Literatur, vor allem aber auch die Zeit einer wirtschaftlichen Blüte bis dahin nicht gesehenen Ausmaßes, des Aufkommens neuer Märkte und der Städtebildung. Die Bürokratie erforderte und schuf geradezu einen neuen Typus des Beamten, ebenso wie die Position des Herrschers durch die Bürokratisierung neu bestimmt wurde. Die Folge war – zumindest in einzelnen Bereichen – eine Professionalisierung der Zivilverwaltung und überhaupt erst die Herausbildung eines spezifischen Beamtenethos. Freilich muß sehr unterschieden werden zwischen der Aufbruchstimmung im 11. Jahrhundert und der „Wendung nach innen" (J. T. C. Liu) im 12. Jahrhundert.

Trotz zahlreicher Einwände erscheint es gerechtfertigt, bei

der Song-Zeit von einer frühneuzeitlichen Epoche zu sprechen, wenn man nicht angesichts der Einzigartigkeit der chinesischen Entwicklung auf die Verwendung jedweden europäischen Epochenbegriffes verzichten will. Vor allem das 11. Jahrhundert war in China eine Zeit aufklärerischen Denkens, in der nicht nur die eigene Tradition rekonstruiert, sondern auch Quellenkritik betrieben wurde und in der sich bei vielen das Bewußtsein von der Bedeutung der eigenen Epoche einstellte. Dadurch veränderten sich nicht nur die Wahrnehmungsweisen und die Sinnstrukturen, sondern das gesamte Lebensgefühl.

Die Konsolidierung des wiedervereinigten Reiches, das allerdings nicht mehr die Ausdehnung der Tang-Dynastie erreichte, war bereits durch die letzte der Fünf Dynastien im Norden, die Spätere Zhou, eingeleitet worden, durch Ausweisung und Kultivierung zusätzlicher landwirtschaftlicher Nutzflächen, durch Enteignung von Klosterbesitz im Jahre 955, durch die Umverteilung der Steuerlast, durch forcierten Kanal- und Dammbau. Die Spätere Zhou-Dynastie (951–959) war zumindest „Prolog", wenn nicht bereits ein Teil der Song-Zeit. Die Zunahme der Macht – nicht zuletzt der militärischen Macht – des Hofes war eine der Voraussetzungen der Einigung gewesen. Insbesondere die Vereinnahmung des Südlichen Tang-Territoriums zwischen Huai und Yangzi durch die Spätere Zhou-Dynastie war ein wichtiger Schritt zur Reintegration der einzelnen Reichsteile, die ja erst gegen Ende des 10. Jahrhunderts abgeschlossen wurde. Die Politik der folgenden Jahrzehnte war eine Fortsetzung der durch Diplomatie und Eroberung zwischen 951 und 979 betriebenen Politik. Bei dem Übergang von der Zhou- zur Song-Dynastie ging es nicht um prinzipielle Fragen, sondern dieser Dynastiewechsel war in erster Linie von dem Zusammentreffen mehrerer Faktoren ermöglicht worden. Zhao Kuangyin war als Befehlshaber der wichtigsten Militärmacht, der Palastarmee, auf der Brücke von Chen vor den Toren Kaifengs von seinen Truppen mit einer gelben Robe, dem Symbol kaiserlicher Macht, bedacht und gewissermaßen gedrängt worden, die Kaiserwürde anzunehmen. Als er in die Hauptstadt zurückkehrte, soll die Kaiserin-Witwe sich dem Druck der Tatsachen gebeugt und mit dem jungen Zhou-Herrscher, der noch ein Kind war, abgedankt haben. Nach seiner Erhebung zum Kaiser setzte Taizu das Einigungswerk fort. 963 wurde das mittlere Yangzi-Gebiet (der Staat Chu), 965 Sichuan (Späteres Shu), 971 Guangdong (Südliche Han), 975 Anhui, Jiangxi und Hunan (Südliche Tang), 978 Jiangsu und Zhejiang (Wu-Yue) und 979 Shanxi (Nördliche Han) eingenommen. Wegen der Staatenbildungen an den Rändern, insbesondere Liao und Xixia, erreichte die Dynastie Song nicht wieder die Ausdehnung der Tang-Dynastie.

Infolge Zhao Kuangyins Oberbefehls über die Palastarmee war seine Machtergreifung die unblutigste in einer Reihe von Kämpfen um den Thron. Seine eigenen Erfahrungen ließen ihn eine Politik der Machtbegrenzung gegenüber dem Militär betreiben und insbesondere die Palastarmee kontrollieren. Der deutlichste Schritt in dieser Richtung war das Entlassungsfest für die Offiziere im 7. Monat des Jahres 962, auf dem „die militärische Macht durch den Weinbecher aufgelöst" (*beijiu shi bingquan*) wurde. Für seine Palasttruppen wählte Taizu andererseits die besten Verbände aus, auch um damit die Schlagkraft der Provinztruppen und die Macht der Gouverneure zu dämpfen. Insgesamt aber besiegelte Zhao Kuangyin mit der Reichseinigung den politischen Abstieg des Militärs.

Das Militär unter ziviler Aufsicht

Im Gegensatz zu früheren autokratischen Herrschern schuf der neue Kaiser einen institutionellen Rahmen für eine absolutistische Regierung, und zwar hauptsächlich durch Reduzierung der Kompetenzen der wichtigsten Hofbeamten. Dies ist auch ein Grund dafür, daß das Reich danach niemals mehr auf Dauer zerfiel. Mit diesem Ausbau der Zentralgewalt, insbesondere mit der Unterstellung des Militärs unter zivile Aufsicht, wurde ein Paradigmawechsel vollzogen. Denn bis in die Tang-Zeit hatte es keine strenge Trennung in militärische und zivile Karrieren gegeben. Die für die Einigung des Reiches so wichtige voraufgehende militokratische Macht mündete also in einen bürokratischen Absolutismus, bei dem die Staatskanzlei (*shangshusheng*) die Hauptlast der Verwaltungsarbeit trug. Die Administration blieb jedoch auch weiterhin Gegenstand der Erörterung und der Kritik, wobei sich zumeist die Befürworter einer effektiven Zentralverwaltung und die Vertreter alter Vorstellungen von feudaler Machtdelegation gegenüberstanden. Die mit dem Namen Wang Anshis verbundenen Reformen der Jahre 1069–1076 führten dann aber, trotz erheblicher Widerstände und einiger Rückschläge, u. a. zu einer Stärkung der Stellung des Kanzlers und einer festen Befehlsgewalt über das Heer durch den Geheimen Staatsrat (*shumiyuan*). Die Tendenzen zu einer sachlichen zentralen Verwaltung wurden jedoch immer wieder gehemmt durch die niemals gänzlich vernichteten und zu Beginn von Fremdherrschaft in China stets neu belebten und auch durch Großgrundbesitzer und Teile der Beamtenschaft favorisierten feudalen Strukturen.

Das Werk des Gründers setzte sein Bruder, der als Song Taizong kanonisierte zweite Song-Herrscher (reg. 976–997), fort, der erst die Bürokratisierung des Reiches, insbesondere durch die Institutionalisierung von Verwaltungsverfahren, sicherte. Der in einigen Regionen des Reiches sich aufstauende Unmut gegen die Zentralisierungspolitik steigerte sich, auch infolge einiger Ungeschicklichkeiten der Song-Herrscher, im Falle Sichuans, wo es 993 zu einem nach den Anführern Wang Xiaobo und Li Shun benannten Aufstand kam, der erst 995 befriedet werden konnte. Dieser Aufstand war eine Reaktion auf die nachhaltige Ausbeutung und Verarmung der Randprovinzen nach ihrer Einbeziehung in den Song-Staat.

Beamtenrekrutierung und Bildungswesen

Die zunehmende Verbreitung formaler Bildung und die Ansätze zu Professionalisierung zusammen mit der Institution der Beamtenprüfung, die neuen Schichten den Zugang zu Ämtern und damit zu Pfründen und Anerkennung eröffnete, prägte nicht nur die Bürokratie, sondern das öffentliche Leben überhaupt. Rekrutierung durch Protektion (*yin*) spielte aber auch weiterhin eine wichtige Rolle. Insbesondere war die Möglichkeit für die hohe Beamtenschaft, den eigenen Nachkommen über dieses Privileg einen gesicherten Zugang in das Beamtensystem zu verschaffen, einer der wichtigeren Antriebe zu einer einsatzfreudigen und korrekten Amtsführung. Für die Akzeptanz anderer Zugangswege zu Amt und Pfründen als die Staatsprüfung gab es auch Gründe; so wurde etwa argumentiert, daß die in der Prüfung gestellten Anforderungen in keine Beziehung zu den späteren Amtsaufgaben zu setzen seien. Ferner berücksichtige das Prüfungswesen nicht den moralischen Charakter des Kandidaten. Der Wunsch nach Wiederherstellung des Schul- und Bildungswesens des Altertums und nach der „Verwirklichung der Morallehre" war das entscheidende Argument dafür, daß während der Chongning-Ära (1102–1106) das Prüfungssystem vorübergehend abgeschafft und durch ein allgemeines Schul- und ein dreistufiges Universitätssystem (*sanshe*, wörtl.: Drei Hallen bzw. Klassen) ersetzt wurde.

Aus diesem Kontext der Qualifikation durch Bildung heraus sind die neuen Formen der Traditionsaneignung verständlich, zu denen neben einer ausgeprägten Quellenkritik die Erstellung von Handbüchern ebenso gehört wie die Anlage von privaten Sammlungen von Altertümern und Zeugnissen der Vergangenheit. Als beflügelnd für die sozialen Umgestaltungsprozesse erwies sich die egalitaristische Tradition, die nach der Übernahme des Buddhismus in der Lehre von der Buddhanatur aller Lebewesen eine Erweiterung gefunden hatte. Dieser Optimismus bezüglich der Bildungsfähigkeit jedes einzelnen fand jedoch seine Begrenzung in den Zwängen sozialer Verpflichtungen einerseits und wirtschaftlicher Interessengegensätze andererseits.

Binnenhandel und handwerkliche Spezialisierung

Auf wirtschaftlichem Gebiet war die Song-Zeit eine prosperierende und zugleich durch große Umwälzungen und Veränderungen gekennzeichnete Epoche. Überschwemmungen infolge von Laufänderungen des Gelben Flusses (Huanghe), u.a. in den Jahren 893, 1048 und 1194, verstärkten noch die seit der Mitte der Tang-Zeit sich vollziehenden und insbesondere in den Südosten gerichteten Wanderungs- und Umsiedlungsbewegungen, so daß Ende des 13. Jahrhunderts etwa 85% der chinesischen Bevölkerung im Süden, d. h. südlich des Huai-Flusses, lebten. Die Verdichtung der Bevölkerung erforderte eine Intensivierung, zum Teil sogar Mechanisierung der Landwirtschaft, wie den Einsatz wassergetriebener Mühlen und Dreschmaschinen. Da die einzelnen Regionen des Reiches ökonomisch nicht mehr autark waren, kam es zu einem verstärkten Binnenhandel, der überwiegend auf den inländischen Wasserstraßen und Kanälen abgewickelt wurde. So entstand eine regelrechte Schiffbauindustrie, die sich dann auch auf den Außenhandel, der noch weitgehend in den Händen von Chinesen lag, anregend auswirkte. Die Entwicklung zu verstärktem überregionalem Handel zeigte sich auch in der auf Verbesserung der Transportwege gerichteten staatlichen Strukturpolitik, bei der, insbesondere im 11. und frühen 12. Jahrhundert, Wasserwege für den Warentransport eine besonders wichtige Rolle spielten. Mit dem Rückzug nach Süden und der Ausbildung des Huai-Laufes als Grenze zwischen dem Dschurdschen-Staat Jin und Süd-Song um 1130 verloren die Nord-Süd-Verbindungen allerdings vorübergehend ihre Bedeutung.

Im Zuge der Städtebildung kam es zu Differenzierungen wie einer handwerklichen Spezialisierung, der Einrichtung von Altersheimen, Waisenhäusern, Friedhöfen, Feuerwehren und Arbeitsvermittlungsstellen ebenso wie zur Ausbildung von Vergnügungsvierteln mit Schaustellern und Geschichtenerzählern, Prostituierten und Tanzmädchen, aber auch mit Schwindlern und Verbrechern. Die durch die Veräußerbarkeit von Land begünstigte Landakkumulation in den Händen weniger ließ die Zahl der Gutshöfe (*zhuangyuan*) steigen und führte zu einer Verminderung des Kleinbauerntums. Wenn sie nicht zu Pächtern (*dianhu*) wurden, blieb ihnen nur die Abwanderung, wodurch das Wachstum der Städte weiter begünstigt wurde. Innerhalb der Städte entstand so etwas wie eine urbane Öffentlichkeit und eine Stadtkultur, durch handwerklich-technische Errungenschaften begünstigt und diese wiederum stimulierend. So senkten eine Verbesserung des Holzplattendrucks und das Vorhandensein guten Papiers aus Maulbeerbaumrinde die Kosten des Buchdrucks derart, daß überall im Reich private Druckereien entstanden. Der Rationalisierungs- und Einsparungsmöglichkeiten war man sich dabei durchaus bewußt. So berichtet im frühen 12. Jahrhundert ein Beamter, der Druck von Verwaltungsformularen betrage ein Zehntel der Kosten einer entsprechenden Handschriftkopie.

Soziale Fürsorge

Institutionelle Armenfürsorge hatte vor der Song-Zeit einen ihrer Ursprünge im Klosterwesen, und im 8. Jahrhundert waren einige Klöster sogar offiziell zur Armenversorgung verpflichtet und dafür vom Staat mit Mitteln ausgestattet worden. In der Song-Zeit war Armenfürsorge als Aufgabe des Staates allgemein akzeptiert, doch wurde auch Kritik an schlechter Verwaltung und Korruption geübt, und es wurden Vorschläge zu einer Verminderung von Armen und „Wirtschaftsflüchtlingen" vorgetragen. Im 12. und 13. Jahrhundert ist, ebenso wie auf dem Gebiet des Schulwesens, wieder eine Dezentralisierung der Fürsorgemaßnahmen festzustellen, die dann vor allem von unteren Verwaltungseinheiten sowie von Familien und Klanverbänden übernommen wurden.

Das Recht der Song-Zeit

Charakteristisch für die Rechtsentwicklung der Song-Zeit ist die Tatsache, daß gegenüber dem Strafrechtskodex, dem *Song xingtong* von Dou Yi (914–966) aus dem Jahre 963, der über Zwischenstufen auf das *Tanglü shuyi* von 737 zurückgeht, die Präzedenzfälle immer mehr an Bedeutung gewannen. In der Rechtskultur der Song-Zeit, die allerdings keine volle Gleichheit vor dem Gesetz kannte, sondern acht Privilegiengruppen unterschied, finden sich unbestreitbare Errungenschaften wie die Forderung nach Beachtung des Amtsermittlungsgrundsatzes und die Ermöglichung, gegen ein Urteil Berufung einzulegen. Bemerkenswert ist die Erörterung der Streitfrage, ob das Volk die Gesetze kennen solle, und auch der Umstand, daß keine Freiheitsstrafen, sondern neben Untersuchungshaft als Strafen nur Todesstrafe, Verbannung, Arbeitsdienst, Prügelstrafe, Tätowierung oder Zurschaustellung verhängt wurden.

Reformversuche und soziale Bewegungen

Das 11. Jahrhundert gilt als die Zeit der großen Reformen bzw. Reformversuche. So zutreffend dieses Urteil ist, so sehr verdeckt es doch den Umstand, daß im chinesischen Kaiserreich von Anfang an stets eine gewisse, freilich unterschiedlich stark ausgeprägte Neigung bestand, das politische System zu verbessern und Mißstände abzustellen. So gesehen ist die Geschichte Chinas voller Reformmaßnahmen; und daher ist es auch nicht verwunderlich, daß für die Vorschläge Wang Anshis nicht nur die Reformvorschläge Fan Zhongyans (989–1052) und Li Gous (1009–1059), sondern bereits die Agrarreformmaßnahmen Sang Hongyangs aus der Han-Zeit als Vorbilder herangezogen werden könnten. Indes waren zu den traditionell immer schon bestehenden Gründen wie ungleicher Landverteilung und mangelhafter Bürokratie im 11. Jahrhundert die wachsenden materiellen Unterschiede zwischen Beamten und Kaufleuten einerseits und Mißstände in der Beamtenschaft andererseits und schließlich die besondere militärische Lage gegenüber dem Norden hinzugetreten.

Im 11. Jahrhundert trat als erster Li Gou mit ernstzunehmenden Reformplänen auf. Er schlug vor, den Generälen größere Selbständigkeit zu geben, denn das Heer sei seinem Umfang nach zwar sehr angewachsen (960: 378 000 Mann; 1041: 1 259 000 Mann), doch habe es an Schlagkraft eingebüßt. Fan Zhongyan (989–1052) hatte dann bessere Chancen als sein Freund Li Gou, zumal er sich bei der Eindämmung der Xixia Verdienste erworben hatte. Fan wollte die Beamtenschaft bzw. das Beamtenwesen reformieren. Er konnte sich jedoch gegen seine Widersacher nicht durchsetzen, zumal ihm die Unterstützung des Herrschers fehlte. Auch das „Zehntausend-Worte-Memorandum" (*wanyan shu*) Wang Anshis aus dem Jahre 1058, das in vielem die Vorschläge Fan Zhongyans aufgriff, fand zunächst kein Echo. Erst nachdem Shenzong (reg. 1068–1085) ihn 1069 zum Kanzler berufen hatte, begann Wang Anshi, seine „Neue Politik" (*xinfa*) zu verwirklichen. Trotz heftiger Widerstände konnte er seine Maßnahmen durchsetzen, und sie blieben zu einem erheblichen Teil auch nach seiner Demission 1076 und nach einer ausdrücklich gegen seine Neuen Gesetze gerichteten Politik zwischen 1085 und 1093 wirksam. In dieser Tradition der Reformer ist auch der lange Zeit als Totengräber der Song-Dynastie verunglimpfte letzte Kanzler Jia Sidao zu sehen, der noch einmal Anstrengungen unternommen hatte, um den Zusammenbruch des Reiches zu verhindern. Da es in Zhejiang in der Gegend um Hangzhou vor allem nach 1127 zu einer Konzentration des Großgrundbesitzes gekommen war, wollte Jia Sidao, seit 1260 Kanzler, mit einem Staatsdomänenplan (*gongtianfa*) die Versorgung der Truppen sichern. Dieses System suchte die Zwangskäufe abzulösen, wonach fast ein Drittel des Getreideertrags zu einem staatlich festgesetzten Preis abgegeben werden mußte, wobei freilich der Staat zumeist nur in als wertlos angesehenem Papiergeld bezahlte. Dieser 1263 ins Werk gesetzte und auf eine praktische Enteignung hinauslaufende Staatsdomänenplan sah den Ankauf von Großgrundbesitz vor. Die Reform wurde zwölf Jahre lang (bis 1275) verfolgt, bis Jia sein Kanzleramt verlor.

4. Verlust des Nordens und Rückzug nach Süden

Krise in der Mitte der Dynastie

Seit dem Ende des 11. Jahrhunderts erlebte die Dynastie Song einen Niedergang, der nicht zuletzt mit ungelösten Problemen der Agrarverfassung zu tun hatte. Als Zhezong 1093 selbst die Herrschaft übernahm, setzte er Befürworter der Reformen Wang Anshis ein, darunter Cai Jing (1046–1126), der sich einer Verbesserung des Ausbildungssystems annahm. Die entscheidende Wende aber kam von außen. Die Dschurdschen, einstmals Verbündete gegen die Khitan, drangen im Jahre 1126 nach einer Belagerung Kaifengs im vorangegangenen Jahr erneut überfallartig mit Kavallerie in das Reich ein, belagerten Kaifeng und nahmen schließlich Kaiser Huizong, der gerade noch abgedankt hatte, und seinen Sohn, Qinzong, sowie den ganzen kaiserlichen Klan gefangen. Ziel der die Nordgrenze des Song-Reiches bedrohenden Dschurdschen war nicht die Besetzung großer Gebiete, sondern die Errichtung eines ihnen willfährigen Pufferstaates, der auch für eine kurze Zeit zustande kam.

Am 1. Tag des 5. Monats 1127 wurde der 21jährige Zhao Gou Kaiser von China und regierte dann bis 1162. Angeblich soll Huizong ihm noch eine geheime Mitteilung („Besteige sofort den Thron und rette sodann deine Eltern!") aus der Gefangenschaft gesandt haben. Zu den ersten Maßnahmen des neuen Kaisers zählte die Rehabilitierung der Reformer. Die Hauptfrage aber blieb, ob gegen die Dschurdschen ein Widerstandskrieg geführt oder der Rückzug nach Süden angetreten werden sollte. Eindeutig wurde die Frage niemals beantwortet, weil zu viele unterschiedliche Interessen im Spiele waren. Viele sahen in einem Rückzug nach Süden keine Schmach, zumal sie der Reichtum des Südens und solcher Städte wie Zhenzhou (östlich des heutigen Nanjing) und Yangzhou lockte, wo es Tee und Salz gab. Doch die meisten Beamten, insbesondere die selbst aus dem Norden stammenden, waren gegen einen Rückzug. Nun erwies sich die zum Zwecke der Kostenreduzierung unter Cai Jings Kanzlerschaft durchgeführte Demobilisierung von Truppen – zwischen 1107 und 1110 hatte die Song-Armee gegenüber früher 950 000 nur noch die Stärke von etwa 500 000, 1126 gar nur noch von etwa 300 000 Soldaten – als Nachteil.

Verheerungen durch die Dschurdschen

Im Winter 1127 erschütterten neue Feldzüge der Jin den Norden Chinas, und auch der kurze Aufenthalt des Kaisers in Yangzhou stand unter dem Zeichen ständiger Bedrohung durch die Dschurdschen. Im späten Frühjahr 1129 zwangen einige Kommandeure den Kaiser, zugunsten seines dreijährigen Sohnes abzudanken. Doch einer der neuen Berater rief Truppen herbei, und als diese vor den Toren Hangzhous standen, empfahl er, den alten Herrscher wieder einzusetzen.

Die Dschurdschen drangen nun weiter vor, so daß im Winter 1129 Nanjing nicht gehalten werden konnte und der Kaiser ihnen sogar einen Vorschlag machte, als ihr Vasall und König des Gebietes zu herrschen. Der Hof floh von Hangzhou nach Yuezhou (das heutige Shaoxing) und zeitweilig sogar, gegen erhebliche Widerstände unter dem Gefolge, aufs Meer, wohin sich der Kaiser mit ca. 60 Schiffen und 3000 Soldaten flüchtete. Die militärische Lage war aussichtslos, aber das grausame Wüten der Dschurdschen-Truppen verstärkte bei der Bevölkerung die Loyalität zur Song-Dynastie.

Nach ausgiebigen Plünderungen der Städte am Yangzi-Unterlauf und um die Hangzhou-Bucht zwischen dem Frühjahr 1129 und dem Frühjahr 1130 kehrten die Dschurdschen in den Norden zurück. Im Frühjahr des Jahres 1131 konnten die Wiedererrichtung der Dynastie und die Devise „Shaoxing" („Fortgeführte Blüte") verkündet werden. Nanjing wurde zunächst der Regierungssitz, doch nachdem 1138 Hangzhou zum „Reiseaufenthalt" (*xingzai*, daraus wurde in europäischen Berichten „Quinsai") geworden war, wurde es zur faktischen Hauptstadt. China blieb gespalten. Versuche Anfang der 60er Jahre, vom Norden her die Süd-Song zu unterwerfen, scheiterten ebenso wie Pläne, vom Süden die Zentralebene zurückzugewinnen.

Nach der Invasion der Jin-Truppen, die zum Verlust großer Teile Chinas geführt hatte, versagten die Regierungstruppen immer wieder. Daraus wurde eine folgenreiche Konsequenz gezogen: Der Song-Hof förderte die Bildung von freiwilligen Miliztruppen unter lokalen Führern, bis es 1141–42 zu einem Friedensschluß zwischen den beiden Staaten kam. Diese Milizen spielten dann aber bei späteren Kämpfen mit den Dschurdschen (um 1161–1164 und vor allem 1206–1208) eine bedeutende Rolle und erwiesen sich als Hindernisse bei den

Friedensverträgen zwischen Song und Jin (1141, 1165, 1208). Als nach der Vernichtung des Jin-Reiches (1234) die Regierung die Unterstützung der Milizen ganz einstellte, hatte dies zur Folge, daß viele der Guerillaführer sich den Mongolen anschlossen und dadurch die Kampfkraft des den Song nach 1234 erwachsenen neuen Gegners verstärkten.

Die Bildung einer „Erobererdynastie": Das Jin-Reich

Das die Song-Dynastie nach Süden zurückdrängende Volk der Dschurdschen (chin.: Nüzhen) war seiner Herkunft nach ein in der östlichen Mandschurei nomadisierendes Hirtenvolk tungusischer Abstammung, dessen Sprache trotz mongolischer Elemente Tungusisch war. Um 1100 bildete sich eine Konföderation unter Aguda aus dem Wanyan-Klan, ein Prozeß, der auf eine Dynastiegründung hinauslief. Vorausgegangen war ein erbitterter Machtkampf zwischen den einzelnen etwa 100 Klanen. Aguda konnte sich schließlich als unbestrittener militärischer Führer des Wanyan-Klans etablieren. Er führte nicht nur eine Art „Stämmerat" ein, sondern veränderte auch das System der Milizeinheiten. 1115, das Datum der Proklamation Agudas zum Kaiser von Jin, ist zugleich das Gründungsjahr dieser Dynastie. Der Vertrag zwischen Song und dem Dschurdschen-Staat Jin im Jahr 1115 gegen die Khitan schadete schließlich der Song-Dynastie. 1122/23 zerschlugen die Dschurdschen die Khitan und drangen 1126 bis in das Huai-Gebiet vor, wo sie Kaifeng einnahmen.

Die Entwicklung der Jin-Herrschaft läßt sich in fünf Phasen gliedern: Eine Formationsphase bis 1115, eine Zeit der dualen Herrschaftsform, d.h. eines Nebeneinanders von Elementen der Stammestraditionen einerseits und chinesischer Verwaltungsformen andererseits von 1115 bis 1150; die dritte Phase war die Zeit der Sinisierung mit dem Übergang von der dualistischen Verwaltung zur Zentralisierung (1123–1161); die vierte Phase war die Zeit nativistischer Gegenströmungen (bis 1189) und die letzte Phase die Zeit der Restauration und des Niedergangs (bis 1234). Offenbar war aber das Selbstverständnis derart unklar, daß noch die letzten Jin-Kaiser Zhangzong (1190–1208) und Xuanzong (1213–1224) Schwierigkeiten hatten, ihre Dynastie zu legitimieren. Wie bei den Khitan benutzten die Kaiser mehrere Residenzen, unter denen Yanjing (Peking) die wichtigste war. Der Umstand, daß der Jin-Herrscher seit 1153 von dort aus regierte, trug zu einer beschleunigten Entnomadisierung bei. Die Ablösung der dualistischen Institutionen durch eine zentralisierte chinesische Bürokratie war insbesondere das Werk des Hailingwang (reg. 1150–1161), des am meisten sinisierten Herrschers der Dschurdschen, der freilich auf die Leistungen des Kaisers Dan Xizong (reg. 1125–1149) aufbauen konnte. Das System der Dschurdschen beeinflußte dann auch die Herrschaftsorganisation des Mongolenreiches.

Der Einfall der Mongolen und die endgültige Unterwerfung

Vor dem 12. Jahrhundert spielten die Mongolen in Zentralasien keine herausragende Rolle. In entferntem Verwandtschaftsverhältnis zu den Türken und Tungusen stehend, gehörten sie – außer jenen Stammesgruppen, die sich in der nördlichen Waldzone durch Jagd, Rentierzucht und Pelzhandel ernährten – zu jener fluktuierenden Nomadenwelt an den Grenzen Chinas, die für die Geschichte der chinesischen Nordgrenze bereits seit der Zeit des Einheitsreiches der Han von großer Bedeutung war.

Der Ausdehnung der Herrschaft der Mongolen auf das Territorium Chinas ging der Aufbau der Militärorganisation unter Tschingis Khan (ca. 1160–1227) voraus. Die zweite Phase erstreckte sich auf die Regierungszeiten Ögödeis, Güyüks und Möngkes (1229–1259). Sie war durch weitere territoriale Expansion und durch die Konsolidierung der Herrschaft über die eroberten Gebiete gekennzeichnet. Die dritte Phase begann im Jahre 1260, als Khubilai Khan das Erbe seines Bruders Möngke antrat, und dauerte bis zum Zerfall der chinesischen Mongolendynastie im frühen 14. Jahrhundert.

Für China erinnerte die Unterwerfung durch den Khan der Mongolen an frühere Einfälle fremder Völker nach China, doch während es bis dahin stets zu einer Form engerer Kontaktaufnahme zwischen den Angehörigen der chinesischen Elite einerseits und den führenden Familien der fremden Dynastiegründer gekommen war, war nun – was sich bereits bei der Konfrontation mit den Khitan und den Dschurdschen gezeigt hatte – eine solche Form der Verständigung, etwa mit den Mitteln der Heiratspolitik, nicht mehr gangbar. Denn es war nun auf chinesischer Seite eine größere Zahl von Beamten involviert, deren Loyalität nicht mehr so umstandslos übertragbar war. Die alltäglichen Vorgänge im chinesischen Reich waren jedoch immer schon dermaßen dezentral geregelt, daß ein Wechsel, der sich auf die Zentralregierung bezog, auf den unteren Verwaltungsebenen nicht unbedingt gleich Konsequenzen zeitigen mußte. Die politische Idee des chinesischen Imperiums als eines Einheitsstaates aber hatte sich im Bewußtsein der Führungsschichten verankert.

Mit der Eroberung von Zhongdu im Jahre 1215 bekräftigten die Mongolen zunächst ihre Präsenz in Nordchina. Der Jin-Staat mußte sich dann gegen weitere Angriffe der Mongolen, die sich zahlreicher Khitan-Berater sowie auch einiger Chinesen bedienten, ebenso verteidigen wie gegen die Song im Süden und die Tanguten. Da sich die Mongolen in starkem Maße auf chinesische Militärführer stützten, wurden auch die besetzten Gebiete weitgehend von chinesischen Kräften kontrolliert und verwaltet.

Die chinesische Bevölkerung hatte die Mongolen nicht als Befreier begrüßt, weil sie unter diesen noch mehr als unter den Dschurdschen zu leiden hatte. So wurde die Einziehung der Steuern Privatleuten anvertraut, die eine festgesetzte Quote abzuliefern hatten, was natürlich zu Unsicherheit und Unmut unter der Bevölkerung wesentlich beitrug. So waren die südlichsten Provinzen des Mongolenreiches zu jener Zeit durchaus ungesicherte Gebiete.

Die Grenze zwischen der Südlichen Song und den Mongolen verlief entlang des Huai-Flusses, einer Grenze, die die Song schon 1142 als Nordgrenze hatten anerkennen müssen. Nur war an die Stelle des Jin-Reiches die sehr viel bedrohlichere mongolische Konföderation getreten. Andererseits hegte man am Song-Hofe in Hangzhou doch immer noch die Hoffnung, daß die Gebiete in den „mittleren Ebenen" einmal unter Ausnutzung der Unzufriedenheit der Bevölkerung wieder heimgeholt werden könnten.

Khubilai war bei seinem Feldzug gegen die Song so erfolgreich, daß Möngke in ihm eine Gefahr für sich erwachsen sah, so daß er ihn im Jahre 1257 zurückrief und anschließend gemeinsam mit Khubilai gegen die Song zog. Doch als Möngke zwei Jahre später, 1259, in Sichuan an der Ruhr erkrankte und starb, kehrte Khubilai, der sich bei der Truppe befunden hatte, unverzüglich in die Mongolei zurück, um seinen Anspruch auf die Position des Großkhans durchzusetzen. Als ältester der drei noch lebenden Söhne Toluis war er der natürliche Nachfolger Möngkes. Doch noch bevor er in die Mongolei zurückkehren konnte, hatte sein jüngerer Bruder Arigh Böge einen Khuriltai, einen Großen Rat, die Versammlung der Fürsten und Häuptlinge, einberufen, auf dem er sich selbst zum Großkhan wählen lassen wollte. Unterstützt wurde er hierbei offenbar von jenen mongolischen Fürsten, denen die Neigung Khubilais zu den Chinesen nicht paßte. Khubilai rief daraufhin einen Gegen-Khuriltai zusammen, auf dem er sich zum Großkhan wählen ließ.

Als Khubilai zurück in die Mongolei eilte, um dort seinen Herrschaftsanspruch anzumelden und durchzusetzen, war für die Südliche Song die Gefahr zunächst gebannt. Khubilai hatte nach seiner Wahl zum Großkhan den Song zunächst Koexistenz zubilligen wollen, doch verhielten sich diese ihm gegenüber feindselig. Als im Jahre 1268 der Krieg zwischen den Song und den Mongolen wieder aufflammte, ergaben sich viele Kommandanten kampflos, zumal sie durch die ungeschickte Politik Jia Sidaos (1213–1275), des letzten Kanzlers, in ihrer Loyalität zur Dynastie Song sehr labil geworden waren. Über Xiangyang, die strategisch wichtigste Festungsstadt am Han-Fluß, zogen die mongolischen Truppen unter dem Feldherrn Bayan nach Hangzhou, und die letzten Loyalisten stürzten sich mit zwei Prinzen, die sie mitgenommen hatten, im Jahre 1279 bei Kanton ins Meer. Damit war China zum ersten Mal in seiner Geschichte in seiner Gesamtheit unter barbarische Herrschaft gefallen und Teil eines Weltreiches geworden, das sich vom Fernen Osten bis nach Rußland erstreckte.

5. Die Mongolenherrschaft

Khubilai und die Yuan-Dynastie

Khubilai orientierte sich vornehmlich auf China und scheint dieses Land als das Herzstück seines Reiches angesehen zu haben. Er regierte mehr nach chinesischen als nach mongolischen Traditionen, und die Verlagerung der Hauptstadt von Karakorum nach Khanbalik (Peking) im Jahre 1264 war ein Zeichen der Abwendung von der Steppe. Seit 1267 wurde Peking ausgebaut, und 1272 verlegte Khubilai alle zentralen Behörden nach Peking, dessen Bedeutung von da an ständig zunahm. Der Behördenaufbau in der Hauptstadt ahmte die Vorbilder der Jin nach, auch die Namen waren chinesisch. Doch Verwaltung wie Regierung lagen vorwiegend in der Hand von Nicht-Chinesen; als Verwaltungssprache wurde aber neben dem Mongolischen im allgemeinen das Chinesische verwendet. Auch nach der Erringung der Herrschaft über ganz China setzte Khubilai seine Eroberungspolitik fort, nach Südosten und nach Osten. Flottenexpeditionen gegen Japan (1274 und 1281) und gegen Java (1293) erwiesen sich als Fehlschläge und deuten darauf hin, daß der militärischen und organisatorischen Überlegenheit der Mongolenherrschaft jenseits des Steppengebietes Grenzen gesetzt waren.

Das Prinzip der dualen Herrschaft

Die Mehrsprachigkeit in der Verwaltung ist nur ein Aspekt der bis 1368 praktizierten sogenannten „dualen Herrschaft". Bei Hofe und in den Provinzen wurden Verwaltungsstellen doppelt besetzt, mit Mongolen oder Zentralasiaten, welche die militärische Macht innehatten, und Chinesen, die die Verwaltung führten. Dabei waren Sprach- und Verständigungsprobleme an der Tagesordnung; selbst Khubilai, der sich doch so um das Image eines chinesischen Herrschers mühte, vermochte nie unmittelbar mit seinen chinesischen Beratern zu sprechen.

Das System dualer Herrschaft fand in der Rassenpolitik der mongolischen Eroberer seine Entsprechung. Die Einwohner Chinas wurden in vier Klassen mit abgestuften Rechten eingeteilt. Die Mongolen waren das herrschende Staatsvolk und bildeten, mit erheblichen sozialen Unterschieden untereinander, eine kleine privilegierte Schicht. Die zweite Gruppe waren die „Personen mit Spezialstatus" (*simuren*), meist zentral- und vorderasiatische Verbündete der Mongolen, vielfach Türken, aber auch Perser, Syrer und sonstige Fremde. Ihnen fiel weitgehend die Finanz- und Vermögensverwaltung zu, und es bildeten sich unter ihnen gildenartige Zusammenschlüsse, die bankenähnliche Geschäfte tätigten. Die dritte Gruppe waren die *Hanren*, unter welcher Bezeichnung die Einwohner Nordchinas von den Mongolen zusammengefaßt wurden, also auch Khitan, Dschurdschen und Koreaner. Die vierte und zahlenmäßig größte Gruppe waren die *Manzu*, die „Südbarbaren", womit die Einwohner des früheren Süd-Song-Reiches gemeint waren. Ihnen blieben alle wichtigen Ämter versperrt, wozu ein Mittel das Verbot des Erlernens fremder Sprachen bildete.

Die Schwierigkeiten, die den Angehörigen der gebildeten Oberschicht entgegenstanden, eine Verwaltungsstelle einzunehmen, waren vielfältig. Dabei spielten die vorläufige Abschaffung des Prüfungswesens und die Deklassierung der Chinesen, inbesondere der Süd-Chinesen, eine wichtige Rolle. Doch da die Bezahlung in den Ämtern nicht üppig war, war die Übernahme eines Amtes für viele auch nicht attraktiv. Als Folge blieb ein großer Teil der Gebildeten den Ämtern fern. Dadurch wurde aber auch das traditionelle Gesellschaftssystem, das auf dem Ideal des Literatenbeamten aufbaute, grundlegend in Frage gestellt. Im Milieu der sich aus der Politik zurückziehenden Literaten bildete sich eine neue Kultur heraus, die mit zur Entwicklung des Singspiels und anderer literarischer und sonstiger künstlerischer Strömungen, wie der „Literatenmalerei", wesentlich beitrug. Dieser „Eremitismus" war freilich nur möglich, weil die Eigentumsverhältnisse grundsätzlich nicht angetastet wurden.

Geld und Wirtschaft

Unter den wirtschaftlichen Entwicklungen ist insbesondere das Papiergeldwesen zu nennen, vor allem die Tatsache, daß in der Mongolenzeit das Papiergeld zur alleinigen Währung erklärt wurde, während unter den Song und Jin Papiergeld immer nur subsidiär zu Kupfermünzen und ungemünztem Silber in Umlauf gewesen war. Die Papiergeldemission setzte erst 1260 ein, als mit Beginn der Regierungsepoche Zhengtong die Konsolidierung der Mongolenherrschaft durch den Ausbau der Reichsverwaltung ihren Anfang nahm. Die in dieser Zeit beginnende Systematisierung und Festlegung des Abgabenwesens läuft parallel mit der Schaffung einer geordneten Währung. Bis dahin war das Steuer- und Abgabenwesen lückenhaft gewesen und hatte im Grunde genommen in einer mehr oder minder willkürlichen Requisition durch die mongolischen Machthaber bestanden. Die Eroberung des Südens, des wirtschaftlichen Kernlandes des damaligen China, war natürlich auch für die Wirtschaft von entscheidender Bedeutung. Tatsächlich freilich wurde in der Praxis das Papiergeld niemals alleiniges Zahlungsmittel, sondern es kursierten frühere Zahlungsmittel und Währungen weiter, und auch während der Yuan-Zeit fand China noch nicht den Übergang von der Natural- zur reinen Geldwirtschaft.

Religionspolitik der Yuan und „pax mongolica"

Es ist den Mongolen vielfach eine große Toleranz in religiösen Fragen nachgesagt worden. Dies ist insofern richtig, als die Religionspolitik der Mongolen zunächst äußerst indifferent war. Doch war die Freiheit einer Religion in China wie anderswo auch dadurch bestimmt, wie groß der Einfluß einzelner Vertreter einer Lehre auf die Politik war, in welchem Maße sich einzelne Religionsgesellschaften an den Fleischtöpfen bereichern konnten. Und hier kam es immer wieder zu Streit und Zwist unter den Religionsgruppen, namentlich zwischen Daoisten und Buddhisten.

Die einheimischen Religionen des Buddhismus und Daoismus wurden von den mongolischen Eroberern zunächst nicht angefochten. Seit der Mitte des 13. Jahrhunderts trat die tibetische Spielart des Buddhismus hinzu, die am Hofe bis zum Ende der Yuan-Dynastie vorherrschend blieb. Zur Kontrolle des Buddhismus diente das Institut des „Reichslehrers" (*guoshi*), der nicht nur der „Hauskaplan" der kaiserlichen Familie war, sondern auch der höchste Vorgesetzte aller Buddhisten im Lande.

Unter allen Dynastien in China ist die Yuan-Dynastie insofern ein Sonderfall, als sie, im Gegensatz zu anderen Staaten auf chinesischem Boden, nur ein Teil eines supranationalen Weltreiches war. Eine weitere Besonderheit ist die Tatsache, daß sich die Eroberung durch die Mongolen auf die Zeit von nahezu einem Vierteljahrhundert erstreckte, was einen allmählichen Anpassungsprozeß ermöglichte. Auch die Legitimation der mongolischen Herrscher in China wich ab von der anderer Dynastiegründer, seien sie chinesischer oder nicht-chinesischer Herkunft. Dies hängt damit zusammen, daß die Mongolen selbst früh eine eigene Staatlichkeit mitbrachten, und auch damit, daß die mongolischen Herrscher ihre Legitimation von außerhalb der chinesischen Sphäre herleiten konnten. Anders als alle fremden Völker, die vor den Mongolen Teile Chinas beherrschten und – zumindest als Träger eigener Staaten – verschwanden, blieben die Mongolen auch nach dem Verlust ihrer Herrschaft über China ein wichtiger Machtfaktor im Norden Chinas. In ihr eigenes Selbstbild übernahmen sie zahlreiche jener legitimierenden Elemente, die ihren Herrschern über China von den chinesischen Beratern zunächst eher aufgezwungen worden waren.

Unter den mongolischen Herrschern in China war Khubilai eine Ausnahmeerscheinung, und bereits mit seinem Tode im Jahre 1294 setzte der Niedergang der Mongolenherrschaft ein.

Khubilai hatte noch gegen die Kräfte der Steppe mehrfach militärische Erfolge erzielt, doch blieb Khaidu, ein Enkel seines Onkels Ögödei, als Vertreter der Steppe über den Tod Khubilais hinaus eine Bedrohung. Gegen Ende der Yuan-Zeit standen sich Fraktionen gegenüber, die den streitenden Gruppen während der Nördlichen Song nicht unähnlich waren. Der Grund für den Niedergang des Mongolenreiches auf chinesischem Boden ist demnach weniger in einer angeblichen Verweichlichung der Mongolen zu suchen, wie gelegentlich behauptet wurde, als darin, daß der schwache bürokratische Apparat mit den agrarsozialen Spannungen nicht fertig wurde. Schon bald wurde den mongolischen Herrschern klar, daß sie auf die Tradition bürokratischer Verwaltung nicht würden verzichten können, und so wurden die staatlichen Examina im Jahre 1315 wieder eingeführt.

Für die Beziehungen zwischen den einzelnen Ländern und Völkern auf dem eurasischen Festland, für den Austausch von Menschen, Kenntnissen und Handelsgütern war die Mongolenherrschaft von großem Vorteil, und die Gesandtschaftsreisen zahlreicher christlicher Missionare an den Hof des Mongolenkhans sind ein Ausdruck dieser transkontinentalen Beziehungen unter den Bedingungen einer sogenannten „pax mongolica", die in Europa seit jener Zeit mit Namen wie Marco Polo, Giovanni de Monte-Corvino und Wilhelm von Rubruk verbunden wird.

VI. Autokratie und Prosperität (1368–1840)

1. Die Einigung unter der nationalen Dynastie Ming

Aufstände am Ende der Yuan-Dynastie

Im Jahre 1351 soll eine Gruppe von Arbeitern, die am alten Lauf des Gelben Flusses in Shandong beschäftigt waren, eine alte Steinstatue ausgegraben haben. Sie versammelten sich alle um den Fund und sahen, daß die Statue nur ein Auge hatte und daß sie auf der Rückseite eine Inschrift trug, die lautete: „Verachte nicht diese Steinfigur, auch wenn sie einäugig ist; ihr Auftauchen wird Rebellion im ganzen Reich ankündigen." Solche Prophezeiungen von Unruhen dürfte es häufiger gegeben haben. Doch waren die Verhältnisse am Ende der Yuan-Zeit besonders unruhig, auch weil Unordnung in der Verwaltung herrschte, Schlamperei und Habgier der mongolischen und mohammedanischen Beamten, eine galoppierende Inflation des Papiergeldes, Korruption der tibetischen lamaistischen Mönche und nicht zuletzt die ständige Unterdrückung der chinesischen Bevölkerung und wachsendes Elend der Bauern. Es war den Mongolen eben nicht gelungen, sich in ihrer Regierungsweise den stabilisierenden Kräften der chinesischen Institutionen anzuvertrauen.

Der Gründung der Ming-Dynastie war also eine Vielzahl von Aufstandsbewegungen vorangegangen, die zum Teil starke religiöse Züge hatten. Große Überschwemmungen des Huanghe seit 1327 und die Notwendigkeit der Dammbefestigung begünstigten revolutionäre Propaganda. In der nordchinesischen Ebene dominierte zu jener Zeit die Geheimgesellschaft der sogenannten „Roten Turbane" (*Hongjin*) unter der Führerschaft von Han Shantong, der eine Reinkarnation Buddha Maitreyas zu sein behauptete. Er sollte die Barbaren aus dem Lande vertreiben. Im Jahre 1355 wurde sein Sohn Han Liner zum König einer Dynastie Song proklamiert. Im gleichen Jahr begann der Aufstieg einer der schillerndsten Gestalten der Geschichte Chinas, Zhu Yuanzhangs (1328–1398), der das Kommando des

Guo Zixiang übernahm, der einer der „Kriegsherren" jener Zeit war.

Zhu Yuanzhang: Vom Rebellenführer zum Kaiser

Mit Zhu Yuanzhang trat ein Mann auf die Bühne, bei dem sich ein ausgeprägter Machtinstinkt und Durchsetzungsvermögen mit hoher Intellektualität verbanden. Er war 1344 während einer großen Hungersnot in ein Kloster gegangen, hatte vier Jahre später aber das Mönchsgewand wieder abgelegt und die Führung einer Gruppe Aufständischer übernommen, die sich Guo Zixiang unterstellt hatten. Nachdem Zhu selbst an die Stelle Guos gerückt war, setzte er seine Machtpolitik fort und reihte Erfolg an Erfolg. Dies wurde auch dadurch begünstigt, daß der Yuan-Hof Ende 1354 den Kanzler Toghto entlassen hatte, der wohl als einziger die Aufstände im Yangzi-Tal hätte unter Kontrolle bringen können. Im Jahre 1359 besetzte Zhu Nanjing und Umgebung. Als er sich im Jahre 1363 zum König des Staates Wu ausrufen ließ (*Wuguo wang*), beherrschte er bereits ganz Zentralchina. Fünf Jahre später, im Jahre 1368, proklamierte er nach Ausschaltung einiger Rivalen die Große Ming-Dynastie und eroberte Peking. Doch es sollte noch fast 20 Jahre dauern, bis zum Jahre 1387, bis China wieder ganz vereinigt war. Die Konsolidierung des Ming-Reiches dauerte noch einige Jahrzehnte länger, bis etwa 1435, als die Ausbildung der Institutionen des neuen Kaiserreiches abgeschlossen war, die dann bis zum Untergang der Mandschu-Herrschaft Anfang des Jahres 1912 im wesentlichen Bestand hatten. Nach 1435, dem Todesjahr Kaiser Xuandes, gewann die Zivilverwaltung wieder eindeutig die Oberhand gegenüber der Militärverwaltung.

Zhu Yuanzhang, dem enge Beziehungen zu manichäischen Gruppierungen nachgesagt werden, gilt trotz seiner rigorosen Politik als einer der großen chinesischen Kaiser und manchen als der einzige wirklich bedeutende Herrscher der Ming-Zeit. Nennenswert nach ihm sind aber von den 17 weiteren Herrschern sicherlich die nach ihrer Regierungsdevise benannten Kaiser Yongle („Ewige Freude") (1403–1424), Jiajing

(„Großer Friede") (1522–1566), Wanli („Zehntausend Kalenden") (1573–1620) und Chongzhen („Hohe Glücksverheißung") (1628–1644).

Kontrolle des Militärs durch die Politik

Im Zuge der Bürgerkriegswirren in der Mitte des 14. Jahrhunderts hatte sich eine Militäraristokratie herausgebildet, die nach der Ausrufung der neuen Dynastie ihre Ansprüche anmeldete und erst allmählich wieder in ihre Schranken gewiesen werden konnte. Die Ming-Dynastie vermochte die durch die Mongolen erreichte Einigung des Reiches fortzusetzen, die dann auch nach dem Zusammenbruch der Ming-Dynastie zunächst nicht wirklich gefährdet war. Während China von der ersten Reichseinigung im Jahre 221 v. Chr. bis zum Ende der Song-Dynastie im Jahre 1279 fast die Hälfte der Zeit nicht geeint, sondern politisch zersplittert war, blieb es danach die meiste Zeit geeint. Und vielleicht ist die Aufrechterhaltung der Reichseinheit die geschichtlich bedeutendste Leistung der Ming-Herrscher. Denn zu Beginn der Ming-Zeit hatte angesichts eines erblich zu werden drohenden Militäradels durchaus die Möglichkeit einer „Refeudalisierung" bestanden. Es gelang den frühen Ming-Herrschern aber, das Heer gänzlich einer zivilen Kontrolle zu unterwerfen. So wurde die Ming-Dynastie zu einer Epoche autokratischer Herrschaft, in der die Eunuchen zeitweise großen, und nach Ansicht vieler traditioneller Historiker verderblichen Einfluß ausübten. Diese Dynastie war – im Gegensatz zur vorhergehenden Yuan-Dynastie – eine „nationale" Dynastie, weil ihre Herrscher Chinesen waren. Der Gründer Zhu Yuanzhang bestimmte wie kein anderer die Geschicke der folgenden Jahrzehnte und Jahrhunderte, er stellte die Weichen. So schaffte er im Jahre 1380 das Amt des Kanzlers ab und suchte, von der Vorgänger-Dynastie einiges zu lernen. Jedoch verwarf er die unter den Mongolen üblichen Abstimmungsprozesse.

Mit dem Ausbau der Verwaltung und der Besetzung der Stellen auf der Grundlage der bereits unter der Yuan-Dynastie wieder eingeführten und ganz auf die konfuzianische Lehre Zhu Xis abgestellten Staatsprüfungen wurden die Amtsanwärter ideologisch indoktriniert, zugleich aber auch in Spezialfächern ausgebildet. Die Herausbildung eines Staatsbeamten-Ethos wurde eher gefördert durch die zeitweilige „Diktatur" einzelner Eunuchen; denn das Bewußtsein von der – durchaus vorhandenen – Gefahr, daß sich der Herrscher mit Hilfe der Eunuchen über die Zivilverwaltung hinwegsetzen könnte, führte zu ständigen Spannungen. Diese wirkten sich gegen Ende der Dynastie, insbesondere seit etwa 1590, zerstörerisch aus, vor allem weil sie die Bildung regierungskritischer Strömungen, deren bekannteste die Donglin-Partei wurde, begünstigten.

Die Außen- und Allianz-Politik der Gründungsphase war natürlich geprägt von den Machtverhältnissen. So hatte es vor 1364 verschiedene Versuche zu Allianzen der Kriegsherren untereinander gegeben; seit 1364 ging es dann um die Sicherung der Nordgrenze, zum Teil mit dem Instrument der Bildung von Militärkolonien (*tuntian*). Nach Süden und Westen suchte man in den folgenden Jahrzehnten durch Eroberungsfeldzüge sowie durch Assimilation die Grenze zu verschieben und zu sichern, was nicht immer ohne Rückschläge vor sich ging. So mußte der Yongle-Herrscher im Jahre 1427 gegen Annam (Vietnam) eine große Niederlage einstecken. Nach Osten und Südosten, in seinen seewärtigen Beziehungen, bestimmten der Küsten- und Überseehandel sowie Tributgesandtschaften die Politik. Was später dann ganz zurückgenommen wurde, eine nach außen gerichtete See- und Flottenpolitik, beförderten noch der Hongwu- und der Yongle-Herrscher, zu deren Zeit der große Seefahrer Zheng He bis nach Afrika fuhr, worüber uns der „Wunder der Meere" (*Yingya shenglan*) betitelte Bericht eines seiner Begleiter, Ma Huan, aus dem Jahre 1451 unterrichtet.

2. Ritualismus und Perfektion des Staates

Die Zeit der Herrschaft Zhu Yuanzhangs unter der Devise Hongwu („Gewaltige Streitmacht") (1368–1398) und die folgenden Jahrzehnte, insbesondere die Zeit des Yongle-Herrschers (1403–1424), waren eine Periode des wirtschaftlichen Wiederaufbaus, der Einrichtung neuer, ganz eigenständiger Institutionen und zugleich der diplomatischen und militärischen Expansion in die Mongolei, nach Südostasien, in den Indischen Ozean, aber auch nach Zentralasien. Einen folgenreichen Schritt unternahm Yongle, als er in den Jahren 1420–21 Peking zur eigentlichen Hauptstadt zu machen begann, obwohl er im Gegensatz zu den Mongolen und den späteren Mandschu jenseits der Mauer im Norden keine Freunde hatte. Auf diese Weise konnte die Hauptstadt dann im 17. Jahrhundert schnell zur Beute der einfallenden Mandschu-Truppen werden.

In der Mitte des 15. Jahrhunderts erlebte die Dynastie eine entscheidende Niederlage in der Mongolei, aus der in der Zeit zwischen 1438 und 1449 immer wieder Angriffe abzuwehren waren. So wurden die zweite Hälfte des 15. Jahrhunderts und die erste Hälfte des 16. Jahrhunderts zu einer Periode des Rückzugs und der Verteidigung. Weitere Gründe für den Niedergang der Dynastie sind in der Umkehrung des demographischen Trends zu suchen, daß nämlich nicht mehr, wie seit der Tang-Zeit, der Süden der bevölkerungsreichste Teil war, sondern auch der Norden wieder an Bevölkerung zunahm. Hinzu kam die wachsende Isolation Chinas, die offiziell angeordnete Unterbindung des Seehandels, die auch eine Reaktion auf das überhandnehmende Piratentum entlang der Küste war, und eine gewisse Blickverengung im Bewußtsein der Literatenbeamten.

Die Wanli-Periode (1573–1620) gilt als eine Zeit der Dekadenz und der Unordnung. Seit dem frühen 17. Jahrhundert gab es zahlreiche Bauernrebellionen sowie Massendemonstrationen, zum Beispiel in Suzhou, wo Literaten und Tausende aus der Bevölkerung gegen den grausamen Eunuchen Wei Zhongxian (1568–1627), den Vertrauten der für den Kaiser Xizong (reg. 1621–1627) herrschenden Regentin, protestierten. Überhaupt war die Stimmung der Zeit einem gesteigerten Selbstgefühl und einem gewissen Hang zur Exzentrik förderlich, was nicht nur in der Dichtung, sondern in den Künsten überhaupt zum Ausdruck kam, beispielsweise in der Malerei bei dem mit dem Dichter Yuan Hongdao befreundeten Maler Dong Qichang (1555–1636).

Die Neuentdeckung des eigenen Selbst im 16. Jahrhundert fand ihren Ausdruck auch im religiösen Bereich, in der Praktizierung etwa von Sündenbekenntnissen und einer täglichen Beobachtung der eigenen Taten. Am bekanntesten sind entsprechende Anweisungen zur Selbstkontrolle, zu einer täglichen Bestandsaufnahme der eigenen guten Werke und der Verfehlungen durch den buddhistischen Mönch Zhuhong (1535–1615), der die Chan-Lehre der Selbsterkenntnis durch Meditation und die eine Wiedergeburt im Paradies des Westens predigende Lehre vom Reinen Land miteinander vereinigte. Im 16. Jahrhundert war das Bewußtsein eines großen Teils der Literatenschicht offenbar geprägt von dem Gedanken, in einer Zeit eigenen Rechts zu leben. Solche Vorstellungen hatte es in der Geschichte immer wieder gegeben, doch bezog sich dieses Bewußtsein nun nicht mehr nur auf das Selbstverständnis einzelner Herrscher und ihrer Berater, die aus diesem Gedanken heraus ihre eigene Politik zu legitimieren trachteten, sondern auch auf jene, deren Schicht bis dahin ihre Privilegien gerade durch die Berufung auf die Traditionen zu sichern gesucht hatte.

Ausdruck neuer Formen der Öffentlichkeit war die Hauptstadtzeitung, *Dibao* oder *Tangbao*, die bereits vor der Ming-Zeit existierte und in den Regierungsämtern der Hauptstadt zirkulierte, die jedoch erst in der späteren Ming-Zeit zu einer festen Institution wurde. Zunächst wurde sie in Abschriften verbreitet, und erst seit 1628 wurde eine Druckausgabe hergestellt, bei der bemerkenswerterweise bewegliche Lettern verwendet wurden. Diese Einrichtung wurde von der Mandschu-Regierung übernommen und später als *Jingbao* (Peking Gazette) bekannt. Das Bewußtsein des zunehmenden Eigenwertes der einzelnen territorialen Gliederungen kommt auch in der seit dem 16. Jahrhundert zunehmenden Zahl von Lokalchroniken (*difangzhi*), Provinz-, Präfektur-, Kreis- und Stadtbeschreibungen zum Ausdruck.

Der Zusammenbruch der Ming-Dynastie wurde vor allem durch agrarsoziale Spannungen und, wie so oft in der Geschichte Chinas, durch die Unfähigkeit der Politik, diese zu mildern, begünstigt. Soziale Unruhen landlos gewordener Bauern waren die Folge. Die Zunahme an Handel und Mobilität überhaupt sowie die Verfügung über Feuerwaffen begünstigten solche Aufstandsbewegungen. Und neben den agrarsozialen Ursachen sind seit der Ming-Zeit auch die sozialen Folgen technologischer Veränderungen, wie z.B. der Webstuhlverbesserung, und eine Zunahme von Manufakturbetrieben als Gründe anzuführen.

Am Rande spielten auch neue Feldfrüchte und Pflanzen eine Rolle, die Einführung der Erdnuß 1530–40 und der Süßkartoffel in Yunnan (erste Erwähnung im Jahre 1563) und vor allem auch des Maises in Nordchina, was katastrophale ökologische Folgen hatte. Bereits im 17. Jahrhundert haben sich Historiker über die Gründe für den Untergang der Ming und die Durchsetzung der Herrschaft eines Dschurdschen-Stammes, der sich dann „Mandschu" nennen sollte, Gedanken gemacht, und es sind von einem Autor 40 Gründe hierfür aufgezählt worden. Unter diesen Gründen finden sich die staatliche Finanzkrise im frühen 17. Jahrhundert ebenso wie die Volkserhebungen und der Konflikt zwischen der Verwaltung und der Macht der Eunuchen.

3. Dynastiewechsel und Fremdherrschaft

Der Zentralverwaltung der Ming-Dynastie war die Kontrolle der lokalen Verwaltung gänzlich entglitten, so daß sie vor allem keinen Zugriff mehr auf die Steuern hatte. Seit 1629 hatte es bereits in Shaanxi, Gansu und Shanxi zunehmend Aufstände gegeben, die schließlich unter Führung des Kriegers Li Zicheng gerieten. Damit war das Heft des Handelns ganz in die Hände des Militärs geraten. Als Li Zicheng im Jahre 1644 Peking erobert und der Kaiser sich erhängt hatte, kam es auf das Verhalten Wu Sanguis, des Kommandeurs der Nordtruppen an. Dieser stellte sich auf die Seite der Mandschus – und damit war das Schicksal der anderen Kriegsherren bzw. Aufständischen besiegelt. Dieses Jahr wird daher auch allgemein als der Beginn der Qing-Dynastie gesehen, obwohl Abahai, der sich am Vorbild chinesischer Institutionen orientierte, schon Jahre zuvor die neue Dynastie proklamiert hatte.

Der Dschurdschen-Fürst Nurhaci (1559–1626) war allmählich zu einem Oberhaupt aufgestiegen und nannte sich 1616 „Khan der Späteren Jin". Sein Nachfolger Abahai fiel dann 1629/30 in China ein, 1638 auch in Korea, und proklamierte 1636 die Große Qing(„Leuchtende")-Dynastie.

Die Eroberung ganz Chinas durch die Mandschu-Truppen dauerte mehrere Jahrzehnte, und erst 1681 wurde der Südwesten, 1683 Taiwan erobert. Die einmal begonnene expansive Tendenz des Mandschu-Staates setzte sich dann auch darüber hinaus fort, so daß China unter der Mandschu-Herrschaft seine größte Ausdehnung erreichte (im Jahre 1759), auf die sich das heutige China zur Legitimierung seiner Gebietsansprüche auch gerne beruft. Erst 1751 gelang es der Qing-Regierung, sich endgültig in Tibet festzusetzen. Ein wichtiges Instrument bei der Sicherung der Herrschaft der Mandschuren war die Einsetzung chinesischer Gefolgsleute, die im 17. und noch im 18. Jahrhundert eine wichtige Rolle spielten. Bis ins 18. Jahrhundert war die Mandschu-Dynastie ein Vielvölkerstaat mit einer mehrsprachigen Administration, und die wichtigen Staatsdokumente und Werke der Geschichtsschreibung wurden nicht nur auf Mandschurisch, sondern auch auf Chinesisch verfaßt.

Die großen Mandschu-Herrscher, die auch in der westlichen Sinologie gerne als „aufgeklärte Despoten" bezeichnet werden, waren – nach ihrer Devise benannt – die Kaiser Kangxi („Mächtiger Lichterglanz") (1661–1722), Yongzheng („Würdige Korrektheit") (1723–1735) und Qianlong („Allerhöchste Erhabenheit") (1736–1796). Sie förderten die Wissenschaften und Künste und vollendeten eigentlich erst die „Konfuzianisierung" Chinas, nicht zuletzt durch das Mittel einer strengen Zensur und einer systematischen Indoktrinierung der Bevölkerung, jedenfalls ihres literarisierten Teils.

4. Das 18. Jahrhundert

Anfänge einer Industrialisierung

Das 18. Jahrhundert, vor allem geprägt durch die beiden nach ihren Regierungsdevisen benannten Herrscher Kangxi (1661– 1722) und Qianlong (1736–1796), aber auch durch den ebenso fähigen wie gewalttätigen Kaiser Yongzheng (1723–1735), war in China eine Epoche der Blüte und des Wohlstands und zugleich der Expansion des mandschurisch-chinesischen Imperiums. Die Darstellung dieser Epoche hat bereits im vorangehenden 17. Jahrhundert etwa um 1680 zu beginnen und sich auch auf die ersten Jahrzehnte des 19. Jahrhunderts, d. h. die Jiaqing("Großer Segen")-Ära (1796–1820), zu erstrecken. In diesem „langen Jahrhundert" wurden auch die Spannungen und Konflikte sichtbar, die im 19. Jahrhundert dann zum Niedergang der Mandschu-Herrschaft und zum Zusammenbruch des Kaiserreiches führen sollten.

Die wirtschaftliche Blüte im frühen 18. Jahrhundert war das Ergebnis einer seit dem späten 15. Jahrhundert zunehmenden Prosperität, die einherging mit einer Umstrukturierung der chinesischen Gesellschaft und ihrer Wertvorstellungen. Insbesondere die Händler und Kaufleute, die lange Zeit in der offiziellen Ideologie mißachtet waren, hatten aufgrund ihrer Erfolge ein eigenes Selbstbewußtsein entwickelt, und zahlreiche Angehörige der Literatenbeamtenschicht suchten die Nähe zu diesen Kreisen; auch brachten manche der Mathematik höhere Wertschätzung entgegen als dem Klassikerstudium.

Der Aufbau von Manufakturen blieb freilich auf einige Zentren beschränkt, und manche Orte hatten für bestimmte Güter geradezu das Monopol. Dabei kam der Textilindustrie eine Schlüsselrolle zu. Allein in Nanjing standen mehr als 30000 Webstühle. Aber auch der Bergbau – es sind Bergwerke mit mehr als 10000 Bergleuten bekannt – und die Teeverarbeitung oder die Porzellanmanufaktur (z.B. in Jingdezhen mit über 100000 Arbeitern) sind hier zu nennen. So war das 18. Jahrhundert ein Jahrhundert des Wohlstandes. Der chinesische

Bauer der Yongzheng-Ära und der ersten Hälfte der Qianlong-Ära war ganz allgemein bei weitem besser ernährt und führte ein angenehmeres Leben als der französische Bauer unter Ludwig XV., und er war zudem meist auch noch gebildeter. Trotz der Prosperität blieb China schließlich hinter Europa zurück. Die Gründe hierfür sind ebenso vielfältig, wie sie von der jeweiligen Perspektive abhängig sind.

Korruption und das rasche Bevölkerungswachstum

Der Zusammenbruch der Mandschu-Dynastie war nicht nur eine Folge des Zerfalls der Sitten und der Günstlingswirtschaft am Kaiserhof in Peking (Beijing), sondern Bevölkerungswachstum und Bedrohung durch äußere Mächte sowie die Unfähigkeit des Staates, die partikularen Interessen an sich zu binden, trugen wesentlich mit dazu bei. Nicht zuletzt aber hatte die mit einer multi-ethnischen Armee durchgeführte enorme Ausdehnung des Reiches die Kräfte des Staates überfordert, dem es dann auch nicht mehr gelang, zusätzliche Ressourcen zu aktivieren. Andererseits hatten die zunächst reichlich fließenden Staatseinnahmen bis gegen Ende des 18. Jahrhunderts überhaupt erst die Niederwerfung zahlreicher Aufstände und die Wiedergewinnung in fremde Hände gefallener Gebiete ermöglicht. Doch militärisch wurde die Mandschu-Dynastie schwächer und vermochte sich vor allem nicht den neuen aus Europa eindringenden Waffen und der sich bewaffnenden Bevölkerung mit Erfolg entgegenzustellen. Das mit der Prosperität verbundene Bevölkerungswachstum (in der zweiten Hälfte des 18. Jahrhunderts von 143 auf 360 Millionen, im Gegensatz zu Europa, wo sich die Bevölkerung im gleichen Zeitraum nur von 144 auf 193 Millionen erhöhte) und die zunehmende Differenzierung der Gesellschaft überforderten den Qing-Staat und führten zu Spannungen innerhalb der Bevölkerung, die sich in immer häufigeren Volkserhebungen und Aufständen, insbesondere in den Randzonen des Reiches, entluden. Zwar versuchte der Qing-Staat der Differenzierung durch zunehmende Bürokratisierung zu begegnen, doch fehlte es sowohl an Geld als auch an dem Willen, die staatliche Verwaltung bis auf die unteren Siedlungseinheiten unterhalb der Kreise auszudehnen.

Die Expansionspolitik der Mandschu-Regierung

Die Expansion des Reiches erstreckte sich in alle Richtungen. Nach der endgültigen Besetzung Taiwans im Jahre 1683 begannen ausgedehnte Feldzüge nach Norden, in die Äußere Mongolei, die 1697 besetzt wurde, und nach Tibet, dessen Eroberung erst 1751 abgeschlossen wurde. Der Yongzheng-Kaiser (reg. 1723–1735) war bestrebt, nach Sicherung seines Herrschaftsanspruches im Inneren und der Niederschlagung von Rebellionen im Nordwesten, die Bedrohung durch die Mongolen im Norden ein für alle Mal zu bannen. Die Durchsetzung der Mandschu-Herrschaft über China, die Mongolei und schließlich auch Tibet entsprach der Dynamik der Reichsbildung. In dem Maße, in dem die Qing-Truppen immer weitere Teile des ostasiatischen Festlandes dem Herrschaftsanspruch der Mandschu-Regierung unterwarfen, verschärfte sich in der Bevölkerung ebenso wie in der Verwaltung das Bewußtsein von der rassischen Vielfalt des Reiches. Bereits 1689 hatten sich die Mandschu mit Rußland im Vertrag von Nertschinsk über ihre gemeinsamen Grenzen geeinigt; 1728 wurde dieser durch den Vertrag von Kiachta erneuert. Im Jahre 1759, als Kaiser Qianlong die Dsungaren endgültig besiegte, hatte China seine größte Ausdehnung. Doch zugleich traten in zunehmendem Maße Spannungen im Inneren auf, und so konnten die Erfolge an den innerasiatischen Grenzen nicht darüber hinwegtäuschen, daß das Reich im Zerfall begriffen war. Ausgedehnte, zum Teil durch religiöse Endzeiterwartungen stimulierte Aufstände in den letzten Jahrzehnten des 18. Jahrhunderts (Aufstände in Taiwan, Aufstände der Weiße-Lotos-Sekte in Nordchina, Mohammedaner-Aufstände im Nordwesten, Unruhen unter den Eingeborenen in Yunnan) führten zu einer Schwächung der Zentralregierung.

Im 18. Jahrhundert war es zudem gerade den europäischen

Mächten gelungen, sich dauerhaft in China festzusetzen. 1715 bereits hatte die East India Company, die 1773 den Opiumhandel monopolisierte, ein Kontor in Kanton gegründet. Damit u.a. hängt auch zusammen, daß sich China am Ende des 18. Jahrhunderts notgedrungen stärker von Zentralasien ab- und dem Inneren sowie der seewärtigen Grenze zuwenden mußte. Auch die Einleitung einer stärkeren Abgrenzungspolitik, etwa das Verbot der Opiumeinfuhr im Jahre 1800, zeitigte nicht die gewünschte Wirkung und verhinderte nicht den Abfluß großer Silbermengen in den Opiumhandel.

5. Literatur und Bildung

Die Konkurrenz um die Staatsämter

Der Mangel an Chancen, in die Bürokratie eintreten zu können, hatte verstärkt seit der Südlichen Song-Zeit zu einer Verselbständigung kultureller Aktivitäten außerhalb der Sphäre des Literatenbeamten-Milieus geführt, wozu in nicht unerheblichem Maße die Förderung durch reiche und oftmals ja auch selbst gebildete Kaufleute beitrug. Wie begehrt ein öffentliches Amt dennoch blieb, zeigt die große Zahl der Prüfungskandidaten, die die Erfolgschancen des einzelnen auf ein Minimum reduzierten. Augenfälligen Ausdruck fanden die sich daraus ergebenden Spannungen etwa in einem Fall, als im Jahre 1711 bei der Prüfung zum *juren*-Grad in Yangzhou etliche Söhne von Salzhändlerfamilien erfolgreich waren. Daraufhin erhob sich scharfer Protest von seiten der erfolglosen Kandidaten, die den Generalgouverneur und den Vorsitzenden des Prüfungsausschusses der Bestechlichkeit bezichtigten. Über 1000 Kandidaten demonstrierten in der Stadt und besetzten schließlich die Präfekturschule, deren Leiter sie eine Zeitlang festhielten. Nach einer neunmonatigen Untersuchung, die durch mandschu-chinesische Spannungen gekennzeichnet war, wurden der Prüfungsausschußvorsitzende und seine Beisitzer sowie einige der erfolgreichen Kandidaten schuldig gesprochen und zum Tode verurteilt. Solche Vorkommnisse waren jedoch die Ausnahme, und die Rivalitäten um die Beamtenposten wurden zumeist eher im Verborgenen ausgetragen.

Urbanisierung

Mit dem neuerlichen Aufblühen der Städte seit dem 16. Jahrhundert hatten auch kulturelle Veranstaltungen, insbesondere die Literatur, einen neuen Aufschwung genommen. Nanjing, das kulturelle Zentrum der späten Ming-Zeit, war allmählich durch die Städte Yangzhou, Suzhou und Peking in den Schatten gestellt worden, die ihrerseits zu Vorbildern wurden und in das Land ausstrahlten. Der wirtschaftliche Aufschwung seit dem 16. Jahrhundert hatte auch eine Ausweitung des Druckwesens mit sich gebracht, und im Zuge der aufblühenden Stadtkultur wurde nicht nur die Stadtbevölkerung, die nur einen Anteil von etwa 5 Prozent an der Gesamtbevölkerung ausmachte, sondern darüber hinaus weite Kreise der Bevölkerung überall im Reich mit literarischen Erzeugnissen konfrontiert. Aufgrund der Prosperität vor allem in den Gegenden des Mittleren und des Unteren Yangzi-Laufes wurden dort im 18. Jahrhundert zahlreiche private Druckunternehmungen ins Werk gesetzt. Vor allem einige besonders beliebte Texte wurden in einfacher Form hergestellt und so zu erschwinglichen Preisen käuflich.

Die Städte im China des 18. Jahrhunderts, damals die größten der Welt, beherbergten in der Regel nicht nur Schulen, sondern auch Theater und Vergnügungsstätten, die vor allem zur Zeit bestimmter Feste oder bei besonderen Anlässen zahllose Besucher anzogen. Die Blüte der Stadtkultur führte auch dazu, daß einige Händler sich für kulturelle Gegenstände interessierten. Auf diese Weise kam es zu großen Sammlungen etwa in den Häusern einiger kunst- und literaturbeflissener Händler. Die Förderung der Kultur ganz allgemein, also nicht nur der Literatur im engeren Sinne, sondern ebenso auch des Theaters durch vermögende Liebhaber begünstigte die Herausbildung regionaler Musiktheater-Stile. Vor allem waren es Feste verschiedenster Art, solche aus privatem Anlaß wie Begräbnisse,

Hochzeiten, Abschiede, oder solche öffentlicher Art wie Tempel- oder Dorffeste, bei denen Theaterstücke aufgeführt, Geschichten vorgetragen und Gedichte verfaßt wurden.

Kritik der Gegenwart und der Umgang mit der Geschichte

Das Nachdenken über den Umgang mit der Geschichte bzw. mit der geschichtlichen Überlieferung im 18. Jahrhundert ist ohne die auf Textkritik fußende sog. *kaozheng*-Gelehrsamkeit nicht denkbar. Dies gilt um so mehr, als in jener Zeit Klassikergelehrsamkeit, Dichtung und Geschichtsstudium kaum voneinander zu trennen sind, wofür Zhao Yi (1727–1814) ein gutes Beispiel ist, der sich wie kaum ein anderer auf Studien zur Geschichte konzentrierte. Seine Anmerkungen zu den 24 Dynastiegeschichten, *Nianer shi zhaji*, hat in neuerer Zeit wie kein anderes Werk die Betrachtung der Geschichte Chinas innerhalb der außerchinesischen Sinologie, zum Teil aber auch in China selbst, geprägt. Zhao Yi war es, der sich mit dem Problem von Aristokratie und Meritokratie, mit der Frage des Herrscherwechsels, den Hauptstadtverlegungen, den Militärgouverneuren (*jiedushi*) der Tang-Zeit und Fragen der Institutionengeschichte beschäftigte, mit „Themen" also, die bis heute in der sinologischen Forschung eine zentrale Rolle spielen.

Parallel zur kritischen Rezeption der Vergangenheit und zum Teil in wechselseitiger Beeinflussung hiermit nimmt auch die Kritik an den Zuständen im Reiche zu, die sich immer offener artikulierte und zum zentralen Thema mehrerer Romane wurde. Die Neubewertung der Traditionen und die Zunahme an Kritikbereitschaft und Skeptizismus im 18. Jahrhundert begleiteten wohl nicht zufällig grundlegende soziale und wirtschaftliche Veränderungen. Der Niedergang des Mandschu-Reiches und die externen Rahmenbedingungen, die rasche industrielle Revolution in Europa und in Nordamerika mit dem Interesse an der Beherrschung des Welthandels waren eher ungünstig für eine gesellschaftliche und staatliche Neuordnung Chinas. Doch spielten innere wie äußere Ursachen gleichermaßen eine Rolle, und es wirft ein bezeichnendes Licht auf die geistige Situation am Ende des 18. und im frühen 19. Jahrhundert, daß einige Politiker und Literaten die wichtigen Probleme Chinas erkannten, wie z. B. das rasche Bevölkerungswachstum, Verschwendung und Luxus in den Städten, Korruption in der Verwaltung usw. Doch waren öffentlicher Kritik nicht nur enge Grenzen gesetzt, sondern die Kritik beruhte zum Teil auf Ordnungs- und Moralvorstellungen, die in den neueren Entwicklungen in den Städten weniger die Chance zum Aufbruch als vielmehr die Abweichung von den tradierten Werten sahen. Andere suchten die Notwendigkeit eines radikalen Wandels zu begründen, doch kamen alle Versuche, zu einer Reform von innen zu gelangen, zu spät.

Gründe für die Auflösung des Qing-Reiches waren einerseits die Unruhen im Inneren, die seit dem späten 18. Jahrhundert immer häufiger werdenden Volksaufstände und die Unfähigkeit der Zentralregierung, die Verwaltung auf lokaler Ebene zu kontrollieren. Andererseits wurde der Einfluß durch die fremden europäischen Handelsnationen immer stärker als Bedrohung empfunden. Zwar gab es manche Literatenbeamte, wie den Generalgouverneur von Kanton in den Jahren 1817–1826, Ruan Yuan, die der Herausforderung durch die Begegnung mit dem Westen mit der Einrichtung neuer Schulen und Akademien entgegentraten, doch wurde bald die gesamte außenpolitische Diskussion durch das Thema des Opiumhandels usurpiert.

Der Kampf gegen den Opiumimport

Nachdem das Britische Parlament im Jahre 1834 der Ostindischen Kompanie das Monopol des Asienhandels entzogen hatte, kam es zu einem raschen Anstieg des Handelsvolumens mit China. Dabei wurde in erster Linie Opium eingeführt, während Silber aus China abfloß. Nach einer längeren Debatte, in der sich viele Stimmen für eine Legalisierung des Opiumrauchens einsetzten, verfügte im Jahre 1838 die Qing-Regierung ein Verbot des Opiumhandels und beauftragte den 54jährigen Beamten Lin Zexu, dieses Verbot in Kanton durchzusetzen. Die Folge war eine Repressionskampagne großen Stils, die in ihren Auswirkungen vor allem die einheimischen Verbraucher und die Kleinhändler traf. Doch Lin Zexu ergriff auch Maßnahmen gegen den Außenhandel. Als er im März 1839 den Außenhandel gänzlich verbot, Kisten mit Opium beschlagnahmte und die Ausländer in Kanton unter Hausarrest stellte, kam es zu heftigen Reaktionen: Nach einigem Hin und Her entsandte Großbritannien unter dem Kommando George Elliots eine Flotte, die im Juni 1840 in Kanton eintraf und dann auch andere Küstenstädte bedrohte. Der Mandschure Qishan vermochte sie zu beschwichtigen und bot England das Territorium von Hongkong und einen hohen Betrag an Silberdollars. Doch die britische Regierung war mit den ausgehandelten Vereinbarungen unzufrieden, und es kam zu neuen Landungs- und Invasionsunternehmungen. Vor allem weil durch die Besetzung einiger Küstenstädte der inländische Kanaltransport stark beeinträchtigt war, ließ sich die Mandschu-Regierung zu dem Vertrag von Nanjing (29. August 1842) herbei, dem weitere von der chinesischen Geschichtsschreibung als „ungleiche Verträge" bezeichnete Abkommen folgten.

Mit den Opiumkriegen beginnt nach dem Selbstverständnis der chinesischen Historiker die „Neuere Geschichte" Chinas, während mit der 4.-Mai-Bewegung von 1919 die „Zeitgeschichte" einsetzt. Seit der Mitte des 19. Jahrhunderts befand sich das Reich im Zustand eines dauernden Bürgerkrieges. Zwar kam es im letzten Viertel des Jahrhunderts zu einer vorübergehenden Stabilisierung und zu einer frühen Industrialisierung insbesondere in den Küstenstädten. Die zunehmenden sozialen Spannungen und der Zusammenbruch der Bürokratie des Kaiserreiches sowie die intensive Konfrontation mit dem Westen und dem Japan der *Meiji*-Reformen, all diese Einflüsse und ihre Folgen wurden gedämpft durch das erwachende Nationalbewußtsein. Das Gefühl der Bedrohung von außen bewirkte schließlich in der Mitte des 20. Jahrhunderts die Einigung des auseinanderdriftenden Reiches und ermöglichte die Zerstörung zahlreicher Ansätze zu einem im Inneren differenzierten China.

Schlußwort
Das Bewußtsein von der Einheit der Kultur

China, das seinen Namen jenem ersten von dem Teilstaat Qin zusammengebrachten Einheitsreich verdankt, mit dem die chinesische Kaiserzeit vor bald 2220 Jahren beginnt, hat daneben viele Namen gehabt, die Namen der Dynastien. Und es wird leicht vergessen, daß China nicht selten mehrere Dynastien zur gleichen Zeit und mehrere Hauptstädte hatte. Auch hat China, das in seiner heutigen Ausdehnung mit Europa zu vergleichen wäre, erst im Laufe der Jahrhunderte seine Grenzen ausgedehnt.

Die Ausdehnung des chinesischen Reiches war zur Zeit der Reichsgründung bei weitem nicht die gleiche wie heute, und sein Schicksal war wechselvoll. Doch immer wieder hat sich der Gedanke der Einheit Chinas durchgesetzt. Dies wie der Umstand, daß sich trotz aller regionalen Vielfalt schon in der Jungsteinzeit, vor etwa 5000 Jahren, in weiten Gebieten des heutigen China sehr nahe miteinander verwandte Kulturerscheinungen finden, berechtigten uns, von 5000 Jahren chinesischer Geschichte zu sprechen.

Ein Rückblick auf die Geschichte Chinas läßt die heute noch wirksame innere Dynamik dieser Kultur, und zwar ihre Chancen wie auch ihre Gefährdungen, deutlicher erkennen. China war niemals eine Nation im modernen europäischen Sinne, sondern eine Ökumene, eine Welt, „das, was unter dem Himmel ist" (*tianxia*). Die Kontakte zu Völkern an den Rändern waren vielfältig, und früh schon wurden Beziehungen mit Nachbarstaaten auf der Ebene der Gleichberechtigung gepflegt. Doch der offiziell formulierten und von den Historikern zumeist wiederholten Auffassung zufolge war China allen anderen Kulturen überlegen; der praktische Umgang mit den Nachbarn hingegen wurde nicht immer von dieser Vorstellung geleitet, sondern folgte nüchternen Überlegungen, bei denen die tatsächlichen Machtverhältnisse, d.h. nicht selten auch die eigene Schwäche, eingestanden wurden. Es war der sehr losen, mit einer verhältnismäßig geringen Zahl von Beamten aufrecht erhaltenen Verwaltung des Reiches durch die Zentralregierung sowie der charismatischen Funktion des Kaisers zu verdanken, daß der Gedanke einer kulturellen Einheit immer auch die politische Einheit nach sich zog, da die Verwaltung eine Zentralregierung mit einem „Himmelssohn" an der Spitze voraussetzte.

Während es in der Zeit des ersten Jahrtausends n. Chr. nur allmählich zu einer inneren Homogenisierung kam, wurde die Tendenz zur sozialen und kulturellen Vereinheitlichung in den folgenden Jahrhunderten immer stärker. Vielleicht war die Kontinuität des Einheitsreiches seit der Mongolenherrschaft (Yuan-Dynastie) eine Folge der Durchsetzung einer inneren Homogenisierung, insbesondere auf dem Gebiet der Wertorientierungen. Doch dieses Beziehungsverhältnis besteht auch umgekehrt, und eines der zentralen großen Themen bei der neueren Entwicklung Chinas ist das Spannungsverhältnis zwischen Liberalität und Despotismus, zwischen Regionalismus und Zentralismus, zwischen gesellschaftlicher Differenzierung einerseits und Egalitarismus und Gleichmacherei andererseits.

In den letzten Jahrhunderten des Kaiserreiches bildete sich eine Vielzahl intermediärer Systeme heraus, auf deren Grundlage eine Modernisierung des Reiches hätte stattfinden können. Dazu gehören im frühen 20. Jahrhundert beispielsweise Gewerkschaftsbewegungen, Verbandsbildungen, Handels- und Berufsverbände, Organisationen, die häufig auf älteren Formen und Strukturen aufbauten. Die Stärkung nationalistischer Strömungen, insbesondere seit der 4.-Mai-Bewegung von 1919, und die Bedrohung Chinas durch die imperialistischen Mächte, durch Japan vor allem, aber auch durch Europa und Nordamerika, führten zu einer Stärkung der auf Homogenisierung drängenden Gruppen. Auf diese Weise geriet China, das sich selber als Vielvölkerstaat versteht, unter die Gewalt einer Partei, und die bereits entstandenen intermediären Organisationen und Strukturen wurden unter dem Druck der Bedrohung von außen ihrer Eigendynamik weitgehend beraubt.

Der Blick auf die Geschichte Chinas zeigt, daß der von einer Zentrale her gelenkte Staat nur kurze Perioden hindurch Bestand haben konnte. Die meiste Zeit überwog der Zustand regionaler Vielfalt oder – während der Zeit des späten Kaiserreichs – eine relative Laissez-faire-Politik gegenüber den Formen intermediärer Strukturbildung. In gewisser Weise war China ein „weltanschaulich neutraler" Staat, und erst dadurch war es möglich, das Reich zusammenzuhalten. Andererseits aber waren es vielleicht gerade diese Tendenz zur Kohäsion und der Mangel an interner Konkurrenz, die mit zur – im Vergleich zu Europa – „verzögerten" Entwicklung beigetragen haben.

Im alten China zeigen sich nicht nur bereits die Grundprobleme, die China heute noch mit sich hat, sondern es wurden während der Formation des chinesischen Reiches die strukturellen Grundlagen geschaffen für das heutige chinesische Selbstverständnis und die Chancen und Risiken der Politik Chinas. Es spricht vieles dafür, daß sich in Zukunft die Eigendynamik einzelner Teile, Provinzen bzw. Regionen beschleunigen wird. Die Konfliktzonen der Vergangenheit und mögliche Grenzen innerhalb Chinas sind im Bewußtsein der Bevölkerung durchaus noch präsent. Daher wird die Einheit Chinas auch über die Zeit der Herrschaft der kommunistischen Partei hinaus nur gelingen, wenn die in der Geschichte Chinas deutliche innere Vielfalt nicht der Forderung nach Einheitlichkeit geopfert wird, sondern – wenn auch gezähmt in einer föderativen Struktur – zur Entfaltung kommen kann.

Zeittafel

Hochneolithische Kulturen (ca. 5000–3000 v. Chr.):
- Yangshao-Kultur (Mittellauf des Gelben Flusses, d. h. Shaanxi, Shanxi, südl. Hebei, westl. Henan, östl. Gansu, östl. Qinghai)
- Xinle (Liao-Fluß, d. h. Liaoning, Jilin)
- Dawenkou (Shandong, nördl. Jiangsu)
- Majiabang (zwischen Huai-Fluß und Yangzi-Unterlauf, d. h. Jiangsu, Shanghai)
- Hemudu (Hangzhou-Bucht, d. h. nördl. Zhejiang)
- Dapenken (Taiwan, Guangdong, Fujian)

Kulturen der Übergangsperiode vom Neolithikum zur Bronzezeit (ca. 3000–1800 v. Chr.):
- Majiayao (Gansu)
- Longshan (Shandong; weitere Verbreitungszentren: Henan, Shanxi, Shaanxi, Hubei)
- Liangzhou (Zhejiang)
- Erlitou (westl. Henan; entspricht der traditionell in die Zeit von 2205 bis 1766 v. Chr. datierten Dynastie Xia)

Shang	ca. 16.–11. Jahrh. v. Chr.
Zhou	1045? v. Chr.–256 v. Chr.
Westliche Zhou	1045? v. Chr.–771 v. Chr.
Östliche Zhou	770–256 v. Chr.
Chunqiu („Frühling- und Herbst")-Periode	722–481 v. Chr.
Zhanguo („Streitende Reiche")-Periode	403–221 v. Chr.
Teilstaaten:	
Qin (bis 221 v. Chr.)	
Zhao (bis 222 v. Chr.)	
Wei (bis 225 v. Chr.)	
Han (bis 230 v. Chr.)	
Chu (bis 223 v. Chr.)	
Yan (bis 222 v. Chr.)	
Qi (bis 221 v. Chr.)	
Qin	221–206 v. Chr.
Han	206 v. Chr.–220 n. Chr.
Frühere (Westliche) Han	206 v. Chr.–8 n. Chr.
Interregnum des Wang Mang	9–23
Spätere (Östliche) Han	25–220
Liuchao („Sechs Dynastien")-Zeit	220–581
Sanguo (Drei Reiche)	221–265
Wei	220–265

Shu			221–263
Wu			222–280
Westliche Jin			265–316
Östliche Jin			317–420
Südliche und Nördliche Dynastien			420–589
			bzw. 386–581

Süden:		Norden:	
Song	420–479	Nördliche (Tuoba) Wei	386–534
Südliche Qi	479–502	Östliche Wei	534–550
Liang	502–557	Westliche Wei	534–557
Chen	557–589	Nördliche Qi	550–577
		Nördliche Zhou	557–581

Sui	581–618
Tang	618–907
Fünf Dynastien (Wudai)	907–960
Spätere Liang	907–923
Spätere Tang	923–936
Spätere Jin	936–946
Spätere Han	947–950
Spätere Zhou	951–959
Song	960–1279
Nördliche Song	960–1126
Südliche Song	1127–1279
Liao (Kitan)	907/946–1125
Xixia	1032–1227
Jin (Dschurdschen)	1115–1234
Yuan (Mongolen)	1279–1368
Ming	1368–1644
Qing (Mandschu)	1644–1911
Republik China (seit 1949 auf Taiwan)	1912–
Volksrepublik China	1949–

Literaturhinweise

Darstellungen der Geschichte

O. Franke, *Geschichte des chinesischen Reiches*, 5 Bände, Berlin 1930–1952.
W. Eberhard, *Geschichte Chinas*, Bern ¹1948, Stuttgart ³1980.
H. Franke, R. Trauzettel, *Das chinesische Kaiserreich*, Frankfurt am Main 1968.
J. Gernet, *Die chinesische Welt*, Frankfurt am Main ¹1979, ²1983, ³1985.
B. Wiethoff, *Grundzüge der älteren chinesischen Geschichte*, Darmstadt 1971.
M. Elvin, *The Pattern of the Chinese Past. A Social and Economic Interpretation*, Stanford, Cal. 1973.
J. Needham, *Science and Civilization in China*, Bd. 1 ff., Cambridge 1952 ff.

Teilepochen und besondere Aspekte

Chang Kwang-chih, *The Archaeology of Ancient China*, New Haven ³1977, ⁴1986.
Chang Kwang-chih, *Early Chinese Civilization. Anthropological Perspectives*, Cambridge, Mass. 1976.
Chang Kwang-chih, *Shang Civilization*, New Haven 1980.
E. L. Shaughnessy, *Sources of Western Zhou History. Inscribed Bronze Vessels*, Berkeley 1991.
H. G. Creel, *The Origins of Statecraft in China*. Bd. 1: The Western Chou Empire, Chicago 1970.
M. Loewe, E. L. Shaughnessy, *The Cambridge History of Ancient China*, Cambridge 1999.
L. v. Falkenhausen, *Chinese Society in the Age of Confucius (1000–250 BC). The Archaeological Evidence*, Los Angeles 2006.
H. Schmidt-Glintzer, *Geschichte Chinas bis zur mongolischen Eroberung*, München 1999.
F. W. Mote, *Imperial China 900–1800*, Cambridge 1999.
B. A. Elmann, *A Cultural History of Civil Examinations in Late Imperial China*, Berkeley 2000.
E. S. Rawski, *The Last Emperors*, Berkeley 1998.

Register

Abrüstung 58
Ackerbauzone 21
Adel 65, 69
Adelskultur 78
Afghanistan 83
Agrarverfassung 32, 44f., 105
Ahnentempel des Herrschers 42
Akademien 71, 89, 131
„Alles unter dem Himmel" *(tianxia)* 16, 133
Altersheime 102
Alttext-Schule 50
Amnestien 42, 71
Arabien 19, 81
Aristokratie 25, 40, 54, 61, 64f., 72f. 86, 90, 130
Armenfürsorge 103
Astronomie 14-17
Aufstände 75, 76, 117, 123f., 126, 131
Außenbeziehungen 17, 82
Außenhandel 47, 102, 132
Außenpolitik 47, 84, 120

Beamtenrekrutierung 43, 97, 100
Beamtenschaft 49, 73
Bergbau 125
Berufsarmee, -heer 56, 92
Berufsbilder 73
Bestechlichkeit s. Korruption
Bevölkerungsentwicklung 29
Bevölkerungswachstum 126, 130
Bevölkerungszahl 26, 85
Bewässerungsarbeiten 33, 55
Bildungssystem 71, 100f., 105, 128
Bronzezeit 11
Buchdruck 103, 129
Bücherverbrennung 27
Buddhismus 17f., 22, 28, 61-65, 69, 76-81, 101, 115, 117
Bürgerkrieg 59, 119, 132

Bürokratie 24, 38, 59, 72, 92, 100, 109
Bürokratisierung 85, 100, 126

Chan-Buddhismus 78
Charisma 134
christliche Missionare 116

Daoismus 35, 50, 55, 62, 80
Daoisten 77, 115
Despotismus 134
Dialekte 38, 69
Diplomatie 21, 33
Dolmetscher 22
Dschurdschen 95, 102, 106-110, 113, 123
Dsungaren 127
Dürren 14, 59
Dynastiegründungen, Dynastiewechsel 27f., 52, 70, 108, 123

East India Company 128
Eigentumsverhältnisse 114
Einheitsreich 133, 135
Einigungswerk 68f.
Einwanderer 62
Eisentechnologie 33, 44
Elite 60f., 64, 66, 69, 76, 89
Endzeiterwartungen 127
Enteignung von Klosterbesitz 98
Eroberdynastie 108
Eroberungspolitik 35
Erzgewinnung 44
Erziehungs- und Prüfungswesen 55, 71
Eunuchen 43, 50, 53, 90, 119ff., 123
Europa 126, 130, 134
Expansion 34, 44, 47, 56, 67, 69, 72, 121, 125, 127
Expeditionsarmeen 67, 87

Feldfrüchte 123
fengshan (Hügel-Altar-)Opfer 51
Feste 31
Feudalismus 24, 34, 37, 59
Feuerwehren 102
Finanzaufseher 45
Flottenpolitik 120
Fremdherrschaft 123
Friedensverträge 95, 108
Friedhöfe 102
Frömmigkeit 62, 81
fubing-Einheiten 86

Geheimer Staatsrat 100
Geisterglaube 24
Gelber Fluß (Huanghe) 14, 55, 101
Geld 94, 114
Geographie 17, 19
Gesandtschaftsreisen 116
Geschichtsamt 16
Geschichtsschreibung 9, 26, 35, 39, 41, 84f., 124, 132
Getreidespeicher 66
Gewerkschaftsbewegung 134
Gottheiten 15, 34f., 49
Grenzbeziehungen 47
Grenzsicherungstruppen 56
Grenzvölker 58
Griechenland 18
Großbritannien 132
Große Mauer 19, 21
Großgrundbesitz 25, 45, 60, 105
Guerillaführer 108

Handel 29, 32, 44, 90, 101
Handelswege 22, 93
Händler 73, 125
Handwerk 32, 101
Harem 43, 46, 87
Hauptstadt 29, 57, 66, 89, 112
Hauptstadtverlegung 13, 46, 130
Haustierhaltung 10
Heilserwartungen 75
Heiratspolitik 110
Hemudu-Kultur 10

Herodot 17
Herrscherwechsel 27f.
Heuschreckenplagen 59
Himmelserscheinungen (Omina) 28, 77
himmlisches Mandat (*tianming*) 24, 42, 33
Hirseanbau 10
Holzplattendruck 103

Indien 72
Industrialisierung 125
Innenpolitik 42f.
Iran 22
Italien 81

Japan 81f., 112
Java 112
Juden 78
Jungsteinzeit 10, 15, 133

Kaisergrabanlagen 77
Kaiserhof 73
Kaiserin Lü (reg. 188-180 v. Chr.) 28
Kaiserlicher Kanal 66
Kaisertitel (*di*) 40
Kaiserwürde 98
Kalender 15
Kanal- und Dammbau 33, 67, 98
  s.a. Wasserbau
Kanzler 66, 87, 100, 105, 119
Kartographie 17-19
Kashgar 84
Kaufleute 73, 125, 128
Kavallerie 47
Khitan 87, 91f., 95, 108, 109f.
Klimaschwankungen 14
Klöster 62, 64, 80, 98, 103
Kolonisierung 54
Kommunistische Partei 135
Konfuzianismus 22f., 24, 40, 48, 50f., 60, 62, 89, 120, 124
Königtum 23, 31f., 37f.
Korea 47, 67, 72, 81

Koreaner 113
Korruption 126, 128, 130f.
Kosmogonie 14
Kosmologie 14
Kriegsherren 53, 124
Kriegsministerium 66
Kulte 26, 42, 48 f.
Kunstsammlung 46
Kupfermünze 44
Küstenstädte 132

Laienvereinigungen 75 f.
Landbesitz 24 f.
Landgewinnung 94
Landgüter 45
Landverteilung 104
Lebensverlängerungsmedizin 34
Legalismus 55
Legitimation 28, 39, 55, 109, 115
Lehnswesen 24, 32
Liberalität 134
Literatenbeamte 39, 113f.
Literatur 89, 128 f.
Lokalkulte 76
Longshan-Kultur 10
Loyalität 70, 111

Magie 50, 76
„Magischer Kanal" 35
Majiabang-Kultur 10
Majiayao-Kultur 10
Malerei 113, 122
Mandschu 122 ff., 126, 128, 132
Manichäismus 78 f.
Markt 45
Märktebildung 26
Mathematik 89, 125
Meditationspraxis 78
Mehrsprachigkeit 112
Militär 32, 37, 65, 71, 85 f., 99, 106, 118, 126
Militär(bauern-)kolonien 44, 56, 120
Militärallianz 56
Militäraristokratie 119

Militärfamilien 86
Militärgouverneure 87 f., 92, 130
Milizen 108
Modernisten 45
Mohammedaner 117, 127
Mönchsgemeinde 63, 79
  s. a. Klöster
Mongolei 127
Mongolen 18 f., 30, 108-113, 115-117, 121, 134
Monopole 45
Mühlen 102
Münzwesen 44 f., 58

Nanzhao 83 f.
Nationalbewußtsein 132
Naturalabgabe 24
Nestorianismus 78, 81
Neutext-Schule 50
Nomaden 21, 32, 47, 55, 69, 70, 76, 109
Nordgrenze 110
Novellistik 77

Oasenzonen 84
Öffentlichkeit 73, 77
Opfer 49
Opium 128, 131 f.
Orakelschau 15
Ordos-Bogen 14, 71
Osttürken 65, 70 ff., 83

Palastarmee 98, 99
Palastcorps 93
Papiergeld 105, 117
Papierherstellung 81
Paradies des Westens 122
Peking-Mensch 10
Pelzhandel 109
Periodisierungen 25
Perser 113
Persien 19, 83
Pferdezüchter 31
Pilgerreisen 18
Piraten 90, 121

Polopferde 94
Porzellan 125
Prinzenrevolte 74
Privatmilizen 58 f.
Privilegien 39, 43, 100, 103
Professionalisierung 89, 97, 100
Propaganda 93
Prophezeiungen 117
Prostituierte 102
Protektion 100
Provinzarmeen 92
Provinzorganisation 92
Prüfungssystem 43, 63, 71, 75, 89, 100 f., 113, 116

Rassenpolitik 112
Rationalismus 23, 25, 51
Rebellionen 40, 52, 68, 70 f., 90, 94, 117 f., 127
Recht 42 f., 89, 103 f.
Rechtsbücher 37, 85
Reformen 32, 45, 49 f., 66, 89, 104 f.
Regierungsdevise 73, 118 f., 124
Regionalismus 85
„Reich der Mitte" 31
Reichseinigung 29, 56, 66, 72, 119
Reichsgründung 133
Reichsteilungen 29, 54
Reisanbau 88
Religionen 78
Religionspolitik 114 f.
Religionsverfolgungen 79
Religiosität der Massen 75
Richthofen, Ferdinand Freiherr v. 22
Riten 39, 41, 46, 50
Ritualismus 120
Rong-Barbaren 31
„Rote Turbane" 117
Rußland 127

Salzhändler 128
Salzproduktion 94
Salzschmuggel 90

Schamanen 23
Schausteller 102
Schiffbauindustrie 102
Schriftreform 33 f., 38
Schulen 71, 101, 131
Seidenstraße 13, 22, 61 f., 81
Separatismus 89
Shiji 39
Silber 128, 131
Singspiel 113, 129
Sklaven 25, 80
Spanien 81
Sprache 38, 69
Staatenbildungen an den Rändern 99
Staatlichkeit 19, 21, 26, 115
Staatsämter 128
Staatsbeamten-Ethos 120
Staatseinnahmen 126
Staatskanzlei 85, 100
Staatskult 35, 77
Städte 29, 102, 129
Städtebildung 25 f.
Stadtgott-Tempel 78
Standardisierung von Maßen 33
Steininschriften 34, 39
Steppenvölker 21, 76, 81
s. a. Nomaden
Steuern 41-44, 86, 110, 114, 123
Strabo 17
Strafen 42, 104
Strafrecht 32, 56
Studenten 89
Südstaaten 93
Sündenbekenntnisse 122
Syrer 113

Taiping 52
Taishan 11
Taiwan 82, 124, 127
Taklamakan 22
Tanguten 72, 97
Tanzmädchen 102
Tarim-Becken 11, 83 f., 88
Teeverarbeitung 125

Tempel 78
Textilindustrie 125
Thronbesteigung 70
Thronfolge 27f., 42, 46, 58, 66, 74
Tibet 11, 13, 37, 83, 84, 115, 117, 124, 127
Tibeter 88
Tölös-Türken 72
Totenkult 63
Transoxanien 72
Transportverbindungen 67, 132
Tribute 83, 84, 94, 120
Tujue 82
Tungusen 108f.
Tuoba 59, 69, 97
Turfan 72, 83
Türken 72, 82, 90f., 109, 113
Türkisch 69
Tuyuhun 97

Überschwemmungen 14, 101, 117
Überseehandel 120
Übersetzungsamt 22
Uighuren 78, 82, 84, 88, 97
Umsiedlungen 44, 102
„Ungleiche Verträge" 132
Universitätssystem 101
Utopien 18

Vasall 32
Verwaltung 19, 37f., 41f., 66, 85, 100, 118, 131, 134
Vier Meere 16

Vietnam 120
Völkerwanderung 59
Volkserhebungen 123, 126
Vorstadt-Opfer 49

Währung 114
Waisenhäuser 102
Wanderungsbewegungen 26, 54, 102
Wasserbau 35, 55, 94, 117
Wasserstraßen 19, 102
Weltentstehung 14f.
Weltoffenheit 66, 78
Wirtschaft 114
Wissenschaft 89, 124
Wuismus 23, 50

Xianbi (Xianbei) 56, 59, 97
Xiongnu 45, 47, 56
Xixia 97, 104

Yangshao-Kultur 10
Yuanmou-Mensch 10

Zauberpraktiker 23
Zeitungen 122
Zensorat 37
Zensur 76, 124
Zentralasien 47, 62, 93
Zentralisierung 49, 100
Zentralstaatlichkeit 27, 49, 56, 59f., 68, 92, 100, 134
Zoroastrismus 78

C.H.BECK ■ WISSEN
in der Beck'schen Reihe

Zuletzt erschienen:

- 2108: Graf, **Der Protestantismus**
- 2210: Schmalzriedt, **Ravels Klaviermusik**
- 2213: Walter, **Haydns Sinfonien**
- 2318: Schallmayer, **Der Limes**
- 2364: Schreiner, **Konstantinopel**
- 2391: Bleckmann, **Der Peloponnesische Krieg**
- 2395: Bossong, **Das Maurische Spanien**
- 2396: Krumeich, **Jeanne d'Arc**
- 2401: Reinhardt, **Geschichte der Schweiz**
- 2402: Stackelberg, **Voltaire**
- 2403: Conermann, **Das Mogulreich**
- 2404: Weinke, **Die Nürnberger Prozesse**
- 2405: Sammer, **Mutter Teresa**
- 2406: Konrad, **Geschichte der Schule**
- 2407: Kolb, **Das antike Rom**
- 2408: Keidel, **Migräne**
- 2409: Junker, **Die Evolution des Menschen**
- 2410: Herrmann, **Das Weltall**
- 2411: Bergdolt, **Die Pest**
- 2412: Hennicke/Fischedick, **Erneuerbare Energien**
- 2413: Benz, **Die Protokolle der Weisen von Zion**
- 2414: Kamp, **Burgund**
- 2415: Leppin, **Die christliche Mystik**
- 2416: Schuh, **Biowetter**
- 2417: Streit, **Was ist Biodiversität?**
- 2364: Schreiner, **Konstantinopel**
- 2419: Simek, **Die Edda**
- 2421: Holzberg, **Ovids Metamorphosen**
- 2422: Schröter, **Geschichte Skandinaviens**
- 2423: Reinhard, **Geschichte des modernen Staates**
- 2424: Geulen, **Geschichte des Rassismus**
- 2425: Klinger, **Die Hethiter**
- 2427: Mehl, **Shakespeares Hamlet**
- 2428: Sarnowsky, **Der Deutsche Orden**
- 2430: Köckert, **Die Zehn Gebote**
- 2431: Maaß, **Das antike Delphi**
- 2432: Schneider, **Geschichte der antiken Technik**
- 2504: Büttner, **Rubens**
- 2506: Adriani, **Paul Cézanne**
- 2551: Hölscher, **Die griechische Kunst**
- 2552: Zanker, **Die römische Kunst**
- 2553: Deckers, **Die frühchristliche und byzantinische Kunst**
- 2556: Tönnesmann, **Die Kunst der Renaissance**
- 2601: Weber/Wehling, **Geschichte Baden-Württembergs**
- 2605: Elmshäuser, **Geschichte Bremens**
- 2606: Krieger, **Geschichte Hamburgs**
- 2607: Kroll, **Geschichte Hessens**
- 2615: Bohn, **Geschichte Schleswig-Holsteins**